CUISINE
POUR
CONGÉLATEUR

C.I.L.

Sommaire

COMPAGNIE INTERNATIONALE DU LIVRE
© 1977 Hennerwood Publications Ltd.
© 1979 C.I.L., Paris, pour l'édition française

Les règles d'or de la congélation

Savourer en hiver des menus d'été, aux prix d'été. Préparer, sans hâte, un repas de gala que l'on servira, huit jours plus tard, en un tournemain, sans quitter ses hôtes plus de quelques instants. Faire provision dans la maison, pour toute l'année, de parfums, de saveurs et de vitamines. Tels sont les petits « miracles » de la congélation à domicile.

Pour devenir un cordon-bleu de la congélation, il suffit d'attention, d'un peu de savoir-faire, en respectant quelques simples principes... que n'auraient pas désavoués les cordons-bleus d'antan...

Acheter à bon escient, profiter des meilleurs produits de la saison. Avec soin, apprêter les aliments, selon les quelques secrets de la cuisine à congeler ; ne pas hésiter à tirer parti de son expérience. Emballer méticuleusement, congeler et stocker dans les délais prescrits. Planifier intelligemment ses menus, pour décongeler à temps et dans les règles de l'art des petits plats savoureux.

Règles d'or

1. Toute congélation doit être effectuée à une température inférieure ou, au plus, égale à — 25°. En effet, seul le froid intense, allant de — 25° à — 30°, ou descendant plus bas encore, conserve aux aliments leurs propriétés. L'eau contenue dans les aliments est ainsi rapidement congelée, au cœur même des cellules ou des fibres, sans risque de les endommager. Il ne faut donc jamais tenter de congeler les aliments à la température habituelle de stockage (— 18°) car, en ce cas, l'eau congèlerait en déchirant les fibres et provoquerait la détérioration des aliments.

2. Plus la congélation est rapide, mieux les aliments se conservent. Réglez donc votre congélateur sur la température minima (— 25° à — 30°) au moins 5 h avant d'entreprendre la congélation. Evitez de congeler de trop grosses quantités à la fois.

3. Une fois congelés à cœur (en 24 h, généralement), les aliments doivent être stockés à température continue — soit — 25°, soit — 18° — et en tout cas jamais au-dessus de — 18°. Les variations de température nuisent à une bonne conservation. Au-dessus de — 18° les processus de désintégration alimentaire ne sont plus freinés avec autant d'efficacité.

4. Il ne faut jamais recongeler un aliment qui a été partiellement ou totalement décongelé. Les processus de développement des microbes reprennent de façon accélérée après décongélation. Le froid détruit certains éléments qui ralentissent naturellement ces processus, alors que la plupart des éléments qui peuvent devenir nocifs sont restés intacts. C'est également la raison pour laquelle il faut consommer ou cuire le jour même un aliment décongelé.

5. Les aliments à congeler doivent être de première fraîcheur et d'excellente qualité, car si une congélation soignée conserve intacts leurs qualités nutritives et leur bel aspect, elle ne les améliore pas pour autant.

6. Les aliments à congeler doivent être préparés, cuisinés, emballés et stockés dans d'excellentes conditions d'hygiène, car les microbes congèlent en même temps que les aliments et reprennent leur activité avec encore plus d'ardeur, au réchauffement.

7. Plus le département stockage d'un congélateur est plein, mieux il conserve le froid. En cas de panne, si une coupure de courant est annoncée à l'avance, comblez les vides avec des bacs à glace ou des boîtes pleines d'eau.

Si la panne dure moins de 6 h, n'ouvrez surtout pas l'appareil, sa réserve de froid est suffisante pour garder les aliments intacts.

Si la panne dure 6 à 10 h, n'ouvrez pas l'appareil, recouvrez-le de journaux et de couvertures. A la reprise de son fonctionnement, sortez les aliments suspects d'avoir subi un début de décongélation afin de les consommer rapidement.

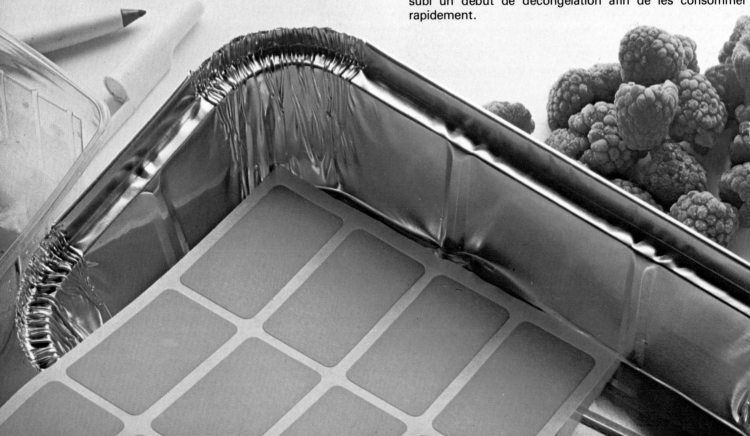

Si la panne dure au-delà de 12 h, résignez-vous à consommer tous les aliments aux prochains repas... et nettoyez votre appareil avant de le remettre en marche.

Emballer

L'emballage est plus qu'un simple moyen de ranger les produits congelés : il contribue à la bonne préservation des aliments, prévient leur déshydratation et la perte de leur valeur nutritive, évite les transferts d'odeurs d'un produit à l'autre. Ayez à votre disposition des emballages de formes et capacités assez diversifiées pour vous permettre d'emballer chaque aliment de manière adéquate :

• Barquettes d'aluminium de formes et de tailles variées, avec leur couvercle. Indispensables pour les plats cuisinés et les fruits fragiles.

• Boîtes et gobelets en plastique, avec leurs couvercles hermétiques. Utiles pour les liquides, les crèmes. Vous pouvez récupérer les pots à yaourt ou à fromage blanc en plastique, à condition de les stériliser au préalable.

• Bocaux en verre trempé, débarrassés toutefois de leurs attaches ou couvercles métalliques. Pour les légumes, potages, fruits au sirop, etc.

• Rouleaux de feuilles d'aluminium à usage ménager. Indispensables pour les viandes, volailles, charcuterie, gros fruits et légumes, pain, etc.

• Feuilles et pellicules de cellophane, utiles pour séparer les tranches de viande, de fruits.

• Sacs et sachets de plastique « qualité alimentaire », pour regrouper les aliments congelés, pour les fruits, les légumes.

• Il existe également des sachets en rilsan qui sont aussi résistants au grand froid qu'à la chaleur et permettent de réchauffer les aliments à l'eau bouillante sans les déballer. Choisissez des sachets à soufflet, plus vastes et plus pratiques. N'utilisez pas de sachets usagés.

Sceller - Etiqueter

Tous les emballages doivent être hermétiquement scellés ; pour ce faire, vous aurez besoin de :

• Bande adhésive « spécial congélation » résistant au froid, pour sceller barquettes, boîtes, bocaux, emballages en feuilles d'aluminium.

• Fils de fer sous gaine de plastique pour fermer les sachets.

• Elastiques pour maintenir ou renforcer les fermetures de bocaux et boîtes.

• Un appareil à thermosceller est très utile pour sceller parfaitement les sachets de plastique et de rilsan.

Etiquetez soigneusement chaque paquet : notez la nature de l'aliment, la date de congélation et la date limite de stockage. Choisissez des étiquettes de couleurs différentes, qui vous permettront de reconnaître du premier coup d'œil les différentes catégories d'aliments — rouge pour la viande, vert pour les légumes, bleu pour les produits laitiers, etc. Préférez les étiquettes autocollantes « spécial congélation » et écrivez au stylo-feutre indélébile ou au crayon gras « de laboratoire ».

Recommandation importante

Evacuez le maximum d'air des emballages souples (sachets, feuilles d'aluminium), mais, par contre, ne remplissez jamais complètement les emballages rigides (barquettes, boîtes) car les produits augmentent de volume à la congélation.

Congeler

Viandes, Volaille, Gibier

Précisez toujours à votre boucher que vous allez congeler la viande qu'il vous vend, car celle-ci doit avoir subi un temps de maturation en chambre froide après l'abattage, qui doit être respecté, et ne jamais être dépassé.

Temps de maturation des viandes entre 0° et + 4°, après abattage

Bœuf : 6 jours.
Veau et porc : 4 jours.
Mouton et agneau : 5 jours.
Volaille de basse-cour : 2 jours.
Lapin de basse-cour : 2 jours.
Gibier : 24 heures.

Ne congelez jamais du gibier faisandé, vous risqueriez une très grave intoxication. Pour la même raison, ne congelez pas de viande hachée crue. Le gros gibier à pelage doit être congelé dès l'abattage, après dépeçage.

Ne congelez d'abats que si vous le pouvez immédiatement après abattage. La charcuterie, le lard cru, le jambon cru, les saucisses fraîches doivent être congelés aussi frais que possible : renseignez-vous auprès de votre charcutier.

Apprêt et emballage

Plus la viande est grasse, moins elle se conserve longtemps, car la graisse animale rancit rapidement. Congelez donc de préférence des viandes maigres et dégraissées au maximum. Préparez des portions correspondant à vos besoins pour un repas, car n'oubliez pas qu'il ne faut jamais recongeler un aliment décongelé. D'autre part, plusieurs petits paquets congèlent mieux qu'un seul gros. L'emballage doit être parfaitment étanche et vidé de son air.

Steaks, côtelettes, filets, escalopes : emballés séparément dans des feuilles d'aluminium, mis à congeler séparés les uns des autres, puis regroupés dans des sacs plastiques étanches, étiquetés et stockés.

Rôtis : préférez 2 rôtis de 1 kg à 1 de 2 kg. Ne les bardez pas. Enveloppez-les séparément dans des feuilles d'aluminium scellées au ruban adhésif, mettez à congeler puis mettez dans des sacs plastique étanches, étiquetez et stockez.

Gigots, côtes de bœuf : après dégraissage, emballez dans des feuilles d'aluminium. Pour éviter les perforations, faites des « tampons » de papier aluminium autour des os, puis emballez, scellez au ruban adhésif et congelez.

Pot-au-feu, blanquette, sautés, bourguignon, etc. : coupez en morceaux et emballez séparément comme les steaks, puis regroupez dans des sacs plastique étanches après congélation, étiquetez et stockez.

Charcuterie : boudin, saucisses, cervelas doivent être trempés 1 mn dans l'eau bouillante puis emballés dans des feuilles d'aluminium, barquettes ou sachets plastique scellés, congelés, éventuellement regroupés dans des sacs plastique, étiquetés et stockés. Seul le jambon emballé sous vide supporte vraiment bien la congélation.

Foies, rognons, cervelles, ris de veau : doivent être congelés dans les heures qui suivent l'abattage de la bête. Les mettre à tremper 2 h dans l'eau froide, les égoutter, les emballer dans des feuilles d'aluminium en portions séparées, les faire congeler puis regrouper en sacs plastique étanches.

Volaille et gibier : à ne congeler que soigneusement saignés, dépouillés et, si possible, dégraissés. Emballez dans des feuilles d'aluminium scellées au ruban adhésif, congelez puis mettez dans des sacs plastique, étiquetez et stockez. Ne congelez pas les abats de volaille ou de gibier, mais faites-en des bouillons à congeler qui vous seront utiles pour parfumer les sauces.

Poissons et produits de la mer

Ne congelez ces produits que le jour même de leur capture. Ecaillez et videz les poissons, coupez tête et nageoires. Découpez les gros poissons en tranches ou en filets que vous emballez séparément dans des feuilles d'aluminium scellées au ruban adhésif avant de les congeler puis de les regrouper par 2, 4 ou 6 dans des sachets plastique hermétiques.

Ouvrez les coquillages, rincez-les à l'eau claire et fraîche puis mettez-les dans des barquettes profondes en aluminium remplies, jusqu'à 3 cm du bord, d'eau salée (2,5 g de sel par litre d'eau), couvrez, scellez au ruban adhésif, congelez.

Parmi les crustacés, seules les crevettes, cuites ou crues, supportent bien la congélation ; mettez-les à congeler dans des barquettes d'eau salée, comme des coquillages. Les autres crustacés (homards, langoustes, crabes, etc.) supportent mal la congélation domestique.

Œufs et produits laitiers

Les œufs : la coquille des œufs éclate à la congélation. Il faut donc les casser et mélanger — sans battre, afin de ne pas introduire d'air — blanc et jaune en salant ou sucrant légèrement selon l'utilisation prévue, puis les mettre en gobelets.

Le lait : seul le lait pasteurisé et homogénéisé peut se congeler. S'il ne répond pas à ces conditions, il devient floconneux en décongelant.

La crème fraîche : choisissez-la très fraîche mais épaisse et battez-la légèrement avant de la verser en gobelets de plastique. Couvrez, scellez, étiquetez et congelez.

Le beurre : ne congelez que du beurre doux très frais. Emballez-le dans des feuilles d'aluminium scellées.

Les fromages : fermentés, ils doivent être arrivés au mieux de leur maturité. Emballez-les dans des feuilles d'aluminium scellées au ruban adhésif, étiquetez et congelez ; *cuits,* coupez-les en tranches séparées par des feuillets d'aluminium ou de cellulose, puis emballez dans des feuilles d'aluminium, scellez, étiquetez et congelez.

Légumes

Choisis fraîchement cueillis, ils seront très savoureux après congélation. Afin d'éviter l'oxydation, il faut les faire blanchir, après les avoir triés, épluchés, lavés et coupés.

Une fois blanchis, les égoutter, les laisser tiédir et les emballer immédiatement. Préparez-les en portions de 500 g ou de 1 kg au maximum, que vous répartissez dans des barquettes d'aluminium ou dans des sachets de plastique alimentaire, scellez soigneusement après avoir expulsé le maximum d'air, puis étiquetez et congelez.

Temps de blanchiment des légumes
- Artichauts coupés, sans foin ; asperges, aubergines, choux-fleurs, mangetout, céleri-branche : 3 mn.
- Chou haché, céleri-rave coupé, choux de Bruxelles, salsifis, carottes, navets, poireaux, haricots : 4 à 5 mn.
- Maïs doux : 6 à 8 mn.
- Carottes et navets primeur, haricots verts fins, haricots beurre, petits oignons, champignons : 2 mn.
- Epinards, oseille, petits pois : 1 mn.

Inutile de blanchir les tomates, courgettes, potirons, concombres et poivrons. Il suffit de les peler et de les couper en tranches ou en dés et de les envelopper hermétiquement.

Les pommes de terre crues (même blanchies) congèlent mal et prennent un goût savonneux. Les salades crues ne se congèlent pas : elles deviennent molles et « cuites ».

Fruits

Choisissez-les d'excellente qualité, fraîchement cueillis, bien mûrs. Vous pourrez les congeler sous différentes formes : entiers, coupés, au jus, au sirop, en compotes.

Fraises, framboises, groseilles, myrtilles, cassis, airelles : triez-les soigneusement, puis étalez-les sur un plateau recouvert d'une feuille d'aluminium, de façon que chaque fruit soit bien séparé. Mettez ainsi à congeler à découvert, puis regroupez en barquettes d'aluminium, couvrez, scellez.

Cerises, mirabelles : dénoyautez-les avec un dénoyauteur puis procédez comme ci-dessus.

Abricots, prunes, pêches : les couper en deux, enlever les noyaux, enlever la peau des pêches. Vous pouvez les congeler tels après les avoir mis en barquettes, saupoudrés d'un peu de sucre. Ils seront encore meilleurs après avoir été plongés rapidement dans l'eau bouillante (procédez par petites quantités et retirez aussitôt), placés dans des barquettes d'aluminium et recouverts de sirop de sucre additionné de quelques gouttes de jus de citron.

Poires : elles doivent être fermes et juteuses à la fois. Les éplucher et les couper en quartiers, enlever cœur et pépins puis les mettre en barquettes recouvertes de sirop de sucre additionné de quelques gouttes de jus de citron.

Pommes : pelez-les, coupez-les en quartiers, enlevez cœur et pépins puis coupez-les en tranches. Rangez les tranches dans des barquettes d'aluminium en poudrant chaque couche d'un peu de sucre et en l'arrosant d'un peu de jus de citron. Isolez chaque couche de la suivante avec une feuille d'aluminium ou une pellicule cellulosique.

Rhubarbe : lavez-la, épluchez-la, coupez-la en tronçons de 2 cm, étalez ceux-ci sur un plateau recouvert d'une feuille d'aluminium, bien séparés, poudrez de sucre, congelez puis regroupez dans des sachets plastique.

Melons, pastèques : pelez-les, coupez-les en tranches, enlevez fibres et pépins, poudrez de sucre, puis emballez séparément en feuilles d'aluminium, congelez puis regroupez dans des sachets plastique, étiquetez et stockez.

Pâtes, Pains, Gâteaux

Les pâtes à pâtisserie prêtes à cuire : se congèlent sans problème sous toutes leurs formes : en blocs, déjà foncées en moules d'aluminium (fonds de tarte). Une précaution cependant : doublez la dose de levure ou levain des pâtes qui devront lever après congélation. Evitez de sucrer les pâtes avant congélation. Congelez séparément fonds de tarte et garnitures : les fruits ramollissent la pâte.

Pain, croissants, brioches, biscuits secs : se congèlent très bien, à condition d'être emballés hermétiquement en feuilles d'aluminium au sortir du four, encore tièdes. Coupez les gros pains, pains de mie, etc., en tranches que vous emballez individuellement et réunissez dans des sacs plastique hermétiques *après* congélation.

Les gâteaux à pâtes « sèches » : biscuit de Savoie, pain de Gênes, kouglof, quatre-quarts, savarin, etc., se congèlent sans difficulté, sous emballage d'aluminium scellé au ruban adhésif. Congelez à part une garniture que vous ajouterez au gâteau avant de servir. Mais attention : les temps limites de stockage ne sont pas les mêmes.

Les gâteaux fourrés, roulés : recouverts de glaçages au sucre, au chocolat, à la crème, etc., demandent plus de précautions : certains doivent être congelés à découvert puis emballés dans des feuilles d'aluminium avant le stockage.

Plats cuisinés

Le nombre de plats cuisinés que l'on peut congeler est presque illimité. Pour les retrouver aussi savoureux qu'avant congélation, il est préférable de prendre des précautions :

• Utilisez des produits d'excellente qualité et de première fraîcheur. Soyez aussi strict sur l'hygiène au moment de leur cuisson qu'à celui de leur emballage.

• Réduisez au minimum le sel et les épices, car ceux-ci prolongent le temps nécessaire à une bonne congélation et abrègent le temps de stockage. Vous rectifierez l'assaisonnement au moment de servir.

• Diminuez la quantité de corps gras, ceux-ci ayant toujours tendance à rancir, et utilisez des graisses stables : beurre, huile d'arachide, huile d'olive, graisse d'oie. Au moment de servir, ajoutez crème ou beurre frais.

• Les sauces liées congèlent plus difficilement ; pour leur garder bon goût et bel aspect, remplacez 1/4 de la farine par de la fécule, de l'« arrow-root » ou de la Maïzena. Chaque fois que possible, liez les sauces lors de la préparation finale. Attention : certains éléments réchauffent plus vite que d'autres, vérifiez que tout est bien à la même température avant de servir.

Décongeler

La décongélation des aliments est aussi importante que la congélation. Elle s'effectue soit directement à la cuisson, soit au réfrigérateur, entre + 2° et + 4° maximum, dans l'emballage de congélation.

Seuls les gâteaux cuits, à pâte « sèche » (génoises, biscuits de Savoie, etc.) et sans garniture, ainsi que les cakes, peuvent être décongelés à température ambiante.

Viandes

Steaks, côtelettes, filets, escalopes, etc., à griller ou poêler : 8 h au réfrigérateur ou cuisson directe.
Pièces à rôtir ou braiser : 15 h au réfrigérateur.
Morceaux pour ragoûts, pot-au-feu : 12 h au réfrigérateur.
Foies, cervelles, langues, ris : cuisson directe.
Volaille, gibier : 15 à 20 h au réfrigérateur.
Saucisses, boudin, cervelas : cuisson directe prolongée.
Jambon : 13 h au réfrigérateur.
Lard cru : 12 h au réfrigérateur.

Poissons et crustacés

Poissons entiers : cuisson directe ou 3 h au réfrigérateur.
Poissons en tranches ou filets : cuisson directe.
Coquillages, crevettes : cuisson directe.

Œufs et produits laitiers

Œufs : 4 h au réfrigérateur.
Beurre, lait, crème fraîche : 9 h au réfrigérateur.
Fromages : 8 h au réfrigérateur.

Légumes

Tous les légumes sont meilleurs décongelés directement à l'eau bouillante. Vous pouvez ensuite les laisser cuire dans la même eau ou les égoutter pour les étuver ou les faire sauter au beurre.

Fruits

Il faut toujours les décongeler en 6 à 8 h au réfrigérateur, s'ils sont crus ou juste ébouillantés, et si on veut les consommer tels. Les garnitures de tartes peuvent être mises à cuire directement. Les fruits pour compotes doivent être mis à cuire directement. Les fruits au sirop peuvent être décongelés en 8 h au réfrigérateur, ou, s'ils ont été conservés en bocaux de verre, au bain-marie. Les fruits en compotes cuites doivent être décongelés en 6 à 8 h au réfrigérateur.

Pâtes à pâtisserie crues

Garder 10 à 20 h au réfrigérateur, selon la quantité. Mettre ensuite les pâtes à lever à température ambiante (20°).

Pains, croissants, gâteaux

Mettez les pains, croissants, petits pains, biscuits secs, etc., encore emballés en feuilles d'aluminium, directement dans le four à 200°. Laissez 8 à 15 mn selon le volume, puis déballez et consommez. Le pain en tranches peut se faire griller directement. Les gâteaux fourrés, glacés, garnis, doivent être décongelés au réfrigérateur, dans leur emballage, en 5 à 15 h selon leur volume.

Plats cuisinés

Rôtis, volailles entières, à servir froids : entre 10 et 20 h au réfrigérateur.
Viandes ou volailles sautées ou en sauce : en cocotte fermée ou au four.
Croquettes, poisson pané : directement à la poêle.
Hors-d'œuvre, mousses de volaille, de poisson, aspics : en 10 à 15 h au réfrigérateur.
Quiches, pizzas, tartes ou tourtes garnies : en 8 à 15 h au réfrigérateur ou directement au four.
Légumes cuits, potages, bouillons : en casserole.

Durées maximales de stockage

VIANDES	Stockage à − 18°	Stockage à − 25°
• Viandes de boucherie maigres, grasses	8 à 10 mois 4 à 5 mois	16 à 18 mois 8 mois
• Foies, cervelles, ris, rognons, cœurs	3 mois	3 mois
• Boudin	1 mois	1 mois
• Saucisses, cervelas	1 mois	3 mois
• Lard cru	1 mois	3 mois
• Volailles maigres, poulets, pintades, etc.	10 mois	15 mois
• Dinde, poule	6 mois	10 mois
• Volailles grasses, canard, oie	4 mois	6 mois
• Lapins d'élevage, gibier	3 à 4 mois	5 à 6 mois

POISSONS

• Poissons gras	1 à 2 mois	3 mois
• Poissons maigres	3 mois	5 mois
• Coquillages, crevettes	4 mois	6 mois

PRODUITS LAITIERS

• Lait pasteurisé	3 mois	5 mois
• Beurre doux pasteurisé	8 mois	12 à 15 mois
• Crème fraîche épaisse	3 mois	5 mois
• Fromage frais maigre battu	3 mois	6 mois
• Fromage frais 40 à 60 % M.G. lissé	1 à 2 mois	3 à 4 mois
• Fromages fermentés	6 à 8 mois	10 mois
• Fromages cuits	4 à 5 mois	6 à 8 mois
• Crèmes dessert pasteurisées	2 mois	3 à 4 mois
• Œufs	4 à 6 mois	8 à 10 mois

LÉGUMES

• Légumes verts, fines herbes	8 mois	16 mois
• Asperges, artichauts, aubergines, carottes, céleris, choux-fleurs, navets, salsifis	10 mois	18 mois
• Choux, choux de Bruxelles	12 mois	18 mois
• Courgettes, poivrons, tomates	5 mois	10 mois

FRUITS

• Abricots, cerises, pêches, prunes	6 à 8 mois	12 mois
• Tous autres fruits frais	8 à 10 mois	15 mois
• Fruits au sirop, en compote	6 à 8 mois	10 mois

PÂTES

• Pâtes à pâtisserie crues à la levure ou au levain	1 mois	6 semaines
• Autres	2 mois	4 mois

VIANDES	Stockage à − 18°	Stockage à − 25°
• Daubes, blanquettes, bourguignon, poule au pot, pot-au-feu	3 mois	5 mois
• Tripes, civets, cassoulet	2 mois	4 mois
• Sautés, fricassées, salmis	1 mois	2 mois
• Hachis, rognons, pièces farcies, sauces à la viande, ris de veau, cervelle, langue, foies	3 semaines à 1 mois	6 semaines à 2 mois
• Rôtis, volailles entières à servir froids	3 mois	5 mois
• Bouillons de viande, d'abats	1 mois	6 semaines

POISSONS

• Poissons cuits, darnes panées, croquettes	1 mois	2 mois

LÉGUMES

• Légumes et potages sans corps gras	3 mois	6 mois
• Légumes et potages avec corps gras	1 à 2 mois	3 à 4 mois

PÂTISSERIE

• Biscuits secs	6 mois	10 à 12 mois
• Biscuit de Savoie, génoise, quatre-quarts, kouglof, brioche, cake	1 à 2 mois	3 mois
• Gâteaux garnis, roulés, glacés	3 semaines à 1 mois	6 semaines

PRODUITS LAITIERS

• Crèmes pâtissières, au beurre, aux œufs, aux fruits	3 semaines	1 mois
• Crèmes glacées	1 mois	2 mois
• Sorbets au jus de fruits	3 mois	5 mois

PÂTES

• Crêpes farcies, pies, pâtés, pizzas, tartes, tourtes aux légumes	1 mois	2 mois
• Pain, croissants, brioches, feuilletés	1 à 2 mois	2 à 4 mois

Potage printanier

Pour 4 personnes. Préparation : 20 mn. Cuisson : 35 mn. Stockage à −18° : 3 mois

- *350 g de pommes de terre*
- *1 botte de cresson*
- *6 carottes nouvelles*
- *3 petits navets nouveaux*
- *4 petits oignons blancs*
- *quelques belles feuilles vertes de laitue*
- *25 g de beurre*

Pour servir :
- *1 dl de lait*
- *1 dl de crème épaisse*
- *sel, poivre*

1. Triez le cresson, lavez-le, égouttez-le. Lavez et égouttez les feuilles de laitue. Pelez et rincez les pommes de terre, coupez-les en tranches. Grattez et rincez carottes et navets, coupez-les en rondelles. Pelez et hachez grossièrement les oignons.

2. Mettez les pommes de terre dans une casserole remplie d'eau légèrement salée et faites-les cuire 20 mn après l'ébullition. Pendant ce temps, faites fondre le beurre dans une autre casserole et faites-y revenir le reste des légumes à feu modéré, pendant 5 à 7 mn ; remuez fréquemment. Couvrez, réduisez le feu et laissez étuver 10 mn. Ajoutez ensuite 1 litre d'eau, portez à ébullition, couvrez à nouveau et laissez cuire encore 15 mn. Egouttez les pommes de terre, ajoutez-les aux autres légumes et laissez cuire encore 5 mn, puis passez le tout au moulin à légumes (grille fine).

3. Versez la préparation dans un bocal ou dans une boîte en plastique, couvrez, laissez refroidir, scellez, étiquetez et congelez.

Pour servir : faites chauffer le bocal au bain-marie, à feu doux, puis versez le potage dans une casserole et achevez de le réchauffer ; ou placez directement le « pain » de potage congelé dans une casserole avec 2 cuillerées à soupe d'eau et faites-le réchauffer pendant 35 mn environ, à feu doux. Salez, poivrez, ajoutez 1 dl de lait et 1 dl de crème fraîche épaisse, mélangez, laissez chauffer encore quelques minutes et servez.

Soupe au chou chinois

Pour 4 personnes. Préparation : 15 mn. Cuisson : 35 mn. Stockage à −18° : 3 mois

- *1 chou chinois*
- *2 poivrons verts*
- *2 gros oignons rouges*
- *3 cuil. à soupe de farine*
- *2 cuil. à soupe d'huile d'olive*

Pour servir :
- *1/2 litre de lait*
- *2 cuil. à soupe de crème fraîche épaisse*
- *sel, poivre*

1. Lavez le chou et taillez-le en lanières. Lavez les poivrons, ôtez le pédoncule, les filaments blancs et les graines, coupez la chair en dés. Pelez et hachez les oignons.

2. Faites chauffer l'huile dans une cocotte émaillée et faites-y doucement revenir les légumes pendant 10 mn. Saupoudrez de farine, mélangez à la cuillère de bois pendant quelques minutes, arrosez avec 1/2 litre d'eau, couvrez et laissez mijoter 20 mn. Passez le contenu de la cocotte au moulin à légumes (grille fine).

3. Transférez la préparation dans un bocal ou une boîte en plastique, couvrez, laissez refroidir, scellez, étiquetez et congelez.

Pour servir : faites chauffer le bocal au bain-marie, à feu doux, puis versez le potage dans une casserole, ajoutez 1 dl d'eau et achevez de le réchauffer ; ou placez le « pain » de potage congelé dans une casserole à fond épais avec 1 dl d'eau et faites dégeler à feu doux pendant 35 mn. Ajoutez ensuite 1/2 litre de lait, salez, poivrez, faites réchauffer complètement. Versez la soupe et la crème dans une soupière et servez.

Potage betterave - pomme de terre

Pour 4 personnes. Préparation : 15 mn. Cuisson : 45 mn. Stockage à −18° : 3 mois

- *300 g de betteraves cuites*
- *350 g de pommes de terre*
- *4 tomates*
- *1 oignon*
- *1 cuil. à café de sucre*
- *25 g de beurre*

Pour servir :
- *2 dl de crème fleurette*
- *sel, poivre*

1. Pelez les pommes de terre, lavez-les et coupez-les en morceaux. Epluchez les betteraves, coupez-les en dés. Pelez et hachez l'oignon. Hachez les tomates.

2. Faites fondre le beurre dans une casserole à fond épais, faites-y doucement revenir les légumes pendant 8 à 10 mn, ajoutez le sucre et 1 litre d'eau. Portez à ébullition, couvrez et laissez mijoter 30 mn. Passez ensuite le tout au mixer.

3. Versez la préparation dans un bocal ou dans une boîte en plastique, couvrez, laissez refroidir, scellez, étiquetez et congelez.

Pour servir : placez le bocal au bain-marie, à feu doux, puis versez le potage dans une casserole et achevez de le réchauffer ; ou mettez directement le potage congelé dans une casserole avec 2 cuillerées à soupe d'eau et faites-le réchauffer à feu doux pendant 35 mn. Salez, poivrez, ajoutez la crème, mélangez, laissez chauffer encore 3 mn.

Velouté aux artichauts

Pour 4 personnes. Préparation : 10 mn. Cuisson : 40 mn. Stockage à −18° : 3 mois

- *1 kg de petits artichauts de Provence*
- *1 échalote*
- *2 oignons rouges*
- *2 cuil. à soupe de farine*
- *1 feuille de laurier*
- *1 cuil. à soupe d'huile d'olive*

Pour servir :
- *1/4 de litre de bouillon*
- *2 cuil. à café d'huile d'olive*
- *sel, poivre*

1. Lavez les artichauts, coupez-les en quatre ; coupez le bout coriace des feuilles avec des ciseaux, ôtez le foin s'il y en a. Pelez l'échalote et les oignons, hachez-les.

2. Faites chauffer l'huile dans une cocotte émaillée, faites-y revenir les artichauts, à feu doux, en remuant, pendant 4 mn, ajoutez oignons et échalote hachés, saupoudrez de farine et laissez cuire encore 5 mn, sans cesser de remuer à la cuillère de bois. Ajoutez ensuite 1/2 litre d'eau et le laurier, amenez à ébullition et laissez cuire 30 mn. Otez la feuille de laurier, puis passez au mixer.

3. Versez le potage dans une boîte en plastique ou une barquette, laissez refroidir, couvrez, scellez, étiquetez et congelez.

Pour servir : faites chauffer le « pain » de potage congelé dans une cocotte avec 2 cuillerées à café d'huile d'olive et 1 dl d'eau, à feu doux. Lorsque le potage est décongelé, versez 1/4 de litre de bouillon, salez, poivrez, réchauffez 15 mn, puis versez dans une soupière. Décorez avec un brin de menthe fraîche.

Soupe glacée aux légumes

Pour 4 personnes. Préparation : 20 mn. Stockage à −18° : 5 mois

- *1 grand concombre*
- *500 g de tomates*
- *2 oignons rouges*
- *2 gousses d'ail*
- *1 poivron vert*
- *1 poivron rouge*
- *1 cuil. à soupe de cerfeuil haché*

Pour servir :
- *2 cuil. à soupe d'huile d'olive*
- *1 cuil. à soupe de très bon vinaigre de vin*
- *4 cuil. à soupe de glace pilée*
- *sel, poivre*

1. Lavez et épongez le concombre ; coupez-le en deux, ôtez les graines, puis coupez la chair en dés réguliers. Pelez les oignons et hachez-les finement. Pelez et hachez les gousses d'ail. Plongez les tomates quelques secondes dans l'eau bouillante, pelez-les, coupez-les en quatre, enlevez les graines, puis coupez la pulpe en dés. Lavez les poivrons, coupez-les en deux, ôtez les filaments blancs, les graines et les pédoncules, puis taillez-les en dés. Réservez la valeur d'un bol de ces légumes. Passez le reste au mixer avec le cerfeuil.

2. Versez la purée de légumes crus dans une barquette d'aluminium et placez les légumes coupés en dés dans une autre barquette. Couvrez, scellez, étiquetez et congelez. Stockez à −18°.

Pour servir : faites décongeler en barquettes fermées au réfrigérateur pendant 12 h, puis versez purée et légumes dans une soupière, ajoutez 2 cuillerées à soupe d'huile d'olive et 1 cuillerée à soupe de vinaigre de vin. Salez, poivrez, ajoutez 3/4 de litre d'eau, mélangez soigneusement. Au moment de servir, ajoutez 4 cuillerées à soupe de glace pilée.

★ Velouté de poireaux

Pour 4 personnes. Préparation : 15 mn. Cuisson : 25 mn. Stockage à −18° : 3 mois

- *1,5 kg de poireaux*
- *6 petites carottes*
- *1 cuil. à soupe de farine*
- *1 cuil. à soupe de riz*
- *1 cuil. à soupe d'huile*

Pour servir :
- *de 3 à 5 dl de lait concentré non sucré*
- *1 cuil. à soupe de crème fraîche*
- *1 cuil. à soupe de persil haché*
- *sel, poivre, noix muscade*

1. Epluchez les poireaux en ne gardant que 2 cm de vert. Coupez les radicelles au ras des bulbes. Lavez les blancs de poireaux, puis taillez-les en petits tronçons. Grattez et rincez les carottes, coupez-les en rondelles.

2. Faites chauffer l'huile dans une cocotte émaillée et faites-y fondre poireaux et carottes, sans les laisser dorer, pendant 10 mn. Saupoudrez de farine et laissez cuire 2 mn en remuant. Ajoutez 1/2 litre d'eau et le riz, portez à ébullition et laissez mijoter 10 mn. Passez le tout au moulin à légumes (grille fine) ou au mixer.

3. Transférez ce fond de potage dans une boîte en plastique ou une barquette d'aluminium, laissez refroidir, couvrez, scellez, étiquetez et congelez.

Pour servir : mettez le «pain» de potage congelé dans une cocotte avec 3 dl d'eau, couvrez et laissez décongeler, à feu doux, puis ajoutez de 3 à 5 dl de lait concentré non sucré, salez, poivrez, râpez un peu de noix muscade et faites chauffer 25 mn. Versez dans une soupière, ajoutez 1 cuillerée à soupe de crème fraîche, mélangez, répartissez 1 cuillerée à soupe de persil haché sur le potage et servez.

★ Velouté de pois cassés

Pour 4 personnes. Faire tremper les pois pendant 1 nuit. Préparation : 10 mn. Cuisson : 2 h 10. Stockage à −18° : 3 mois

- *300 g de pois cassés*
- *1 carotte*
- *2 oignons*
- *1 échalote*
- *1 poignée d'épinards*
- *1 cuil. à soupe de saindoux*
- *1 bouquet garni : thym, laurier, persil, cerfeuil*

Pour servir :
- *1 dl de lait concentré*
- *2 cuil. à soupe de crème*
- *sel, poivre, noix muscade*

1. Faites tremper les pois cassés à l'eau froide pendant 1 nuit.

2. Le lendemain, grattez et rincez la carotte, coupez-la en rondelles. Pelez les oignons et l'échalote. Faites fondre le saindoux dans une casserole à fond épais et faites-y revenir la carotte, les oignons et l'échalote, à feu doux, pendant 7 mn, en remuant. Arrosez avec 1 litre d'eau. Egouttez les pois cassés, ajoutez-les dans la casserole ainsi que le bouquet garni. Portez à ébullition, couvrez et laissez mijoter 2 h.

3. 15 mn avant la fin de la cuisson, lavez les épinards et ajoutez-les dans la casserole. Otez le bouquet garni. Passez le potage au mixer.

4. Laissez refroidir. Versez le potage dans une boîte en plastique, couvrez, scellez, étiquetez et congelez.

Pour servir : mettez le potage congelé dans une casserole avec 1 dl d'eau, couvrez. Faites chauffer doucement pendant 30 mn. Lorsque le potage est décongelé, ajoutez le lait concentré et faites réchauffer. Salez, poivrez, râpez un peu de noix muscade, ajoutez la crème, mélangez. Présentez en même temps des petits croûtons et des lardons frits.

Pizzas

Pour 4 pizzas. Préparation totale : 1 h. Repos de la pâte : 3 h. Stockage à −18° : 3 semaines

Pour la pâte :
- *600 g de farine*
- *1 cube de levure de boulanger*
- *2 cuil. à café d'huile d'olive*
- *1/2 cuil. à café de sel*

1. Préparez la pâte à pizza : délayez la levure dans 2 dl d'eau tiède. Mettez la farine dans un saladier avec 1/2 cuillerée à café de sel et 2 cuillerées à café d'huile, puis versez-y la levure délayée et travaillez la pâte du bout des doigts, du centre vers l'extérieur. Pétrissez la pâte pendant 10 mn en l'aplatissant et en l'étirant pour que l'air y pénètre. Roulez-la en boule, saupoudrez-la de farine, placez-la dans un saladier, couvrez d'un torchon propre et laissez la pâte lever pendant 3 h dans un endroit tiède.

2. Travaillez alors la pâte 1 ou 2 mn, puis séparez-la en 4 parties égales. Aplatissez chaque partie à la main, en partant du centre de la boule et en rayonnant vers l'extérieur, en un cercle de 20 cm de diamètre. Garnissez avec les préparations de votre choix.

3. Posez les pizzas sur un plateau et faites-les congeler à découvert dès qu'elles sont garnies, puis emballez-les dans du papier d'aluminium, regroupez-les par deux en sacs de plastique, scellez, étiquetez et congelez.

Pour servir : allumez le four, thermostat 8 (250°), 20 mn à l'avance, déballez les pizzas et enfournez-les, juste après avoir baissé le thermostat à 6 (200°). Laissez-les cuire 25 mn.

Garniture coppa-tomate

- *4 tranches de coppa (saucisson italien)*
- *2 tomates*
- *1 pincée de thym frais*
- *1 cuil. à café d'huile d'olive*
- *6 grosses olives noires*
- *origan*
- *sel, poivre*

1. Ebouillantez 1 tomate, pelez-la et écrasez-la. Coupez la seconde tomate en rondelles. Hachez les olives. Déposez les rondelles de coppa sur la pâte.

2. Mélangez la tomate écrasée avec le thym, l'huile et les olives, étalez ce mélange sur la pizza, garnissez de rondelles de tomate, ajoutez un peu d'origan, salez, poivrez.

Garniture mozzarella-anchois

- *3 tomates*
- *50 g de mozzarella en tranches fines*
- *de 6 à 8 filets d'anchois*
- *origan*
- *sel, poivre*

1. Ebouillantez les tomates, pelez-les et écrasez-les. Mélangez-les avec 1/2 cuillerée à café d'origan, salez légèrement, poivrez, étalez sur la pâte et recouvrez de tranches de mozzarella.

2. Disposez les filets d'anchois en losanges, saupoudrez d'origan.

Garniture jambon-champignons

- *50 g de petits champignons*
- *1 tranche de jambon*
- *20 petits lardons fumés*
- *50 g de gruyère râpé*
- *10 g de beurre*
- *poivre*

1. Coupez la partie sableuse du pied des champignons, lavez-les et coupez-les en deux. Faites-les sauter 5 mn à la poêle avec 10 g de beurre chaud.

2. Coupez le jambon en dés, ajoutez-les dans la poêle ainsi que les lardons, laissez cuire 5 mn, poivrez largement, puis versez sur la pâte. Répartissez dessus le gruyère râpé.

Garniture poivron-oignon

- *2 oignons*
- *1/2 poivron*
- *2 tomates*
- *6 olives farcies*
- *1 cuil. à soupe d'huile d'olive*
- *herbes de Provence séchées*
- *sel, poivre*

1. Epluchez et hachez les oignons ; coupez le poivron en dés, faites revenir l'oignon et le poivron dans une poêle dans l'huile chaude pendant 5 mn.

2. Ebouillantez les tomates, pelez-les et écrasez-les ; coupez les olives en rondelles. Ajoutez les tomates et les olives dans la poêle. Salez, poivrez, mélangez et étalez sur la pâte. Saupoudrez d'herbes.

Chou rouge aux pommes

Pour 4 personnes. Préparation et cuisson : 50 mn. Stockage à −18° : 2 mois

- 1 chou rouge
- 400 g de pommes à cuire
- 1 cuil. à soupe de sucre
- 5 cuil. à soupe de vinaigre de cidre
- 50 g de beurre
- 3 clous de girofle
- sel, poivre

1. Coupez le chou en quatre. Enlevez les feuilles externes abîmées ainsi que le cœur dur, puis hachez-le. Pelez les pommes, coupez-les en quatre, enlevez les cœurs et coupez les quartiers en tranches.

2. Mettez le chou et les pommes dans une cocotte avec le sucre, les clous de girofle et 3 cuillerées à soupe d'eau. Couvrez et faites étuver 45 mn à feu doux. Otez alors les clous de girofle, arrosez de vinaigre, ajoutez le beurre, salez, poivrez et mélangez jusqu'à ce que le beurre ait fondu.

3. Versez dans une barquette d'aluminium, couvrez, laissez refroidir, scellez, étiquetez et congelez.

Pour servir : mettez le chou congelé dans une cocotte avec 1 cuillerée à soupe d'huile et 1 cuillerée à soupe d'eau, couvrez et faites chauffer environ 35 mn à feu doux.

Tarte aux poireaux et au jambon

Pour 4 personnes. Préparation : 25 mn. Repos de la pâte : 2 h. Cuisson : 40 mn. Stockage à −18° : 3 semaines

Pour la pâte :
- 100 g de farine
- 50 g de beurre
- sel, poivre

Pour la garniture :
- 3 poireaux nouveaux
- 100 g de jambon cuit
- 1 œuf
- 1,5 dl de crème fraîche
- 40 g de beurre
- sel, poivre

1. Préparez la pâte (voir la recette des quiches pour cocktail, page 20).

2. Allumez le four, thermostat 7 (230°). Beurrez un moule à tarte à bord haut, en aluminium, de 18 cm de diamètre. Etalez la pâte au rouleau, garnissez-en le moule, recouvrez de papier sulfurisé et de haricots secs et mettez 15 mn au four.

3. Pendant ce temps, lavez les poireaux et coupez-les en lamelles. Hachez le jambon. Faites fondre 30 g de beurre dans une casserole, jetez-y les poireaux, couvrez et faites cuire à feu très doux pendant 10 mn.

4. Otez les haricots et le papier, versez les poireaux et le jambon sur la pâte. Battez l'œuf avec la crème, salez, poivrez, nappez-en les poireaux. Baissez le thermostat à 5 1/2 (180°) et faites cuire 25 mn.

5. Laissez la tarte refroidir. Faites-la congeler dans le moule, à découvert, puis emballez-la dans du papier d'aluminium et glissez-la dans un sac de plastique. Scellez, étiquetez et stockez.

Pour servir : ôtez le sac de plastique, mettez la tarte, dans son papier d'aluminium, au four, thermostat 6 (200°), pendant 30 mn. Otez le papier et laissez encore 10 mn.

Tarte aux oignons et aux anchois

Pour 4 personnes. Préparation : 20 mn. Repos de la pâte : 2 h. Cuisson : 45 mn. Stockage à −18° : 3 semaines

Pour la pâte :
- 100 g de farine
- 50 g de beurre
- sel, poivre

Pour la garniture :
- 500 g d'oignons
- 1 œuf
- 1,5 dl de crème
- 1 petite boîte de filets d'anchois
- 1 gousse d'ail
- 10 g de beurre
- 2 cuil. à soupe d'huile
- poivre

1. Préparez la pâte (voir la recette des quiches pour cocktail, page 20).

2. Pelez les oignons et coupez-les en lamelles fines. Pelez et hachez la gousse d'ail. Faites chauffer l'huile dans une poêle et faites-y revenir doucement l'ail et l'oignon pendant 10 mn environ, jusqu'à ce qu'ils soient tendres. Etalez la pâte au rouleau. Beurrez légèrement un moule à manqué en aluminium de 18 cm de diamètre et garnissez-le de pâte. Allumez le four, thermostat 6 (200°).

3. Battez l'œuf avec la crème, poivrez, mélangez avec les oignons et versez sur la pâte. Posez par-dessus les anchois, en losanges. Faites cuire 30 mn au four.

4. Laissez refroidir et faites congeler à découvert. Puis emballez la tarte dans du papier d'aluminium, glissez-la en sac de plastique, scellez, étiquetez et stockez.

Pour servir : ôtez le sac de plastique, mettez la tarte encore emballée dans le papier d'aluminium au four, thermostat 6 (200°), pendant 30 mn, puis enlevez le papier et laissez la tarte pendant encore 10 mn dans le four. Servez bien chaud.

Aubergines farcies

Pour 4 personnes. Préparation et cuisson : 30 mn. Stockage à −18° : 1 mois

- *2 belles aubergines rondes*
- *350 g de bœuf haché*
- *1 litre de lait homogénéisé*
- *50 g de gruyère râpé*
- *40 g de farine*
- *1 cuil. à café de Maïzena*
- *2 oignons*
- *1 gousse d'ail*
- *2 cuil. à soupe d'huile*
- *20 g de beurre*
- *sel, poivre*

1. Epluchez et hachez l'ail et les oignons. Lavez les aubergines, essuyez-les, ôtez largement leur centre à l'aide d'un petit couteau, mettez cette chair de côté. Faites cuire les aubergines dans leur peau 5 mn dans de l'eau bouillante, puis égouttez-les.

2. Faites chauffer l'huile dans une poêle, faites-y revenir l'ail, les oignons et la chair ôtée des aubergines pendant 5 mn, à feu doux, puis ajoutez la viande hachée et faites-la cuire 10 mn en l'émiettant à la fourchette.

3. Préparez la sauce au fromage : versez le lait dans une casserole, ajoutez 40 g de farine et la Maïzena, fouettez pour homogénéiser, puis faites chauffer à feu doux en remuant à la spatule de bois. Lorsque la sauce épaissit, remuez encore 5 mn, puis ajoutez le fromage râpé et 20 g de beurre, salez, poivrez, remuez encore 1 mn, puis retirez du feu.

4. Emplissez les aubergines de viande et laissez-les refroidir. Placez les aubergines farcies dans une barquette en aluminium, nappez-les de sauce au fromage, laissez refroidir, puis couvrez, scellez, étiquetez et congelez.

Pour servir : placez la barquette ouverte 40 mn au four, thermostat 5 1/2 (180°).

Chou au cumin

Pour 4 personnes. Préparation et cuisson : 25 mn. Stockage à −18° : 2 mois

- *1 chou blanc*
- *2 oignons*
- *1 cuil. à café de graines de cumin*
- *50 g de beurre*

1. Coupez le chou en quatre. Enlevez les feuilles externes abîmées et ôtez le cœur dur. Taillez le chou en lanières minces. Pelez les oignons, coupez-les en lamelles.

2. Faites fondre le beurre dans une sauteuse et faites-y doucement revenir les oignons pendant 3 à 4 mn, puis le chou, mélangez pendant 5 mn, ajoutez le cumin, couvrez et laissez cuire 10 mn. Le chou doit être encore ferme, croquant et vert pâle.

3. Versez le chou dans une barquette d'aluminium, couvrez et laissez refroidir. Scellez, étiquetez et congelez.

Pour servir : placez la barquette fermée au bain-marie dans une casserole couverte, à feu moyen, pendant 30 mn ; puis versez le chou dans une cocotte, ajoutez 15 g de beurre, du sel et du poivre, remuez et laissez chauffer pendant 5 mn. Répartissez un peu de persil haché sur le chou et servez.

Flan aux épinards et au fromage

Pour 4 personnes. Préparation : 20 mn. Cuisson : 40 mn. Stockage à −18° : 1 mois

Pour la pâte :
- *180 g de farine*
- *80 g de beurre*
- *1/4 de cuil. à café de sel*

Pour la garniture :
- *1 kg d'épinards*
- *1 œuf*
- *1,5 dl de crème fraîche*
- *80 g d'emmenthal râpé*
- *sel, poivre*

1. Préparez la pâte : tamisez la farine, ajoutez le sel et le beurre en petites parcelles ; travaillez du bout des doigts jusqu'à ce que la pâte prenne la consistance de semoule, ajoutez 5 cl d'eau et travaillez rapidement la pâte. Roulez-la en boule, laissez reposer au réfrigérateur pendant la préparation de la garniture.

2. Triez les épinards, coupez les grosses tiges, lavez-les à grande eau. Mettez-les dans une grande cocotte sans les égoutter. Salez, couvrez et laissez cuire 5 mn. Egouttez les épinards et hachez-les. Battez l'œuf avec la crème fraîche, ajoutez le fromage, salez, poivrez et mélangez aux épinards hachés.

3. Aplatissez la pâte au rouleau sur 1 cm d'épaisseur et garnissez-en un moule à flan en aluminium de 20 cm de diamètre. Allumez le four, thermostat 7 (230°). Posez un rond de papier sulfurisé et des haricots secs sur la pâte et mettez au four pendant 10 mn. Otez ensuite le papier et les haricots, garnissez la pâte avec les épinards à la crème. Baissez le thermostat à 6 (200°) et faites cuire le flan pendant 25 mn environ. Laissez refroidir le flan, glissez-le dans un sac de plastique, scellez, étiquetez et congelez.

Pour servir : sortez le flan du sac de plastique, couvrez-le de papier d'aluminium et mettez-le au four, thermostat 5 1/2 (180°), pendant 40 mn.

Flan aux asperges

Pour 4 personnes. Préparation : 20 mn. Cuisson : 40 mn. Stockage à −18° : 1 mois

Pour la pâte :
- *100 g de farine*
- *50 g de beurre*
- *sel*

Pour la garniture :
- *500 g d'asperges vertes*
- *1 œuf*
- *1,5 dl de crème fraîche*
- *sel, poivre*

Pour le moule :
- *10 g de beurre*

1. Préparez la pâte (voir la recette ci-dessus).

2. Pelez les asperges au couteau économe et lavez-les. Faites-les cuire 15 mn à l'eau bouillante salée. Allumez le four, thermostat 7 (230°). Aplatissez la pâte au rouleau. Beurrez un moule en aluminium, à bord haut, de 18 cm de diamètre. Garnissez-le de pâte et recouvrez celle-ci de papier sulfurisé et de haricots secs. Faites cuire au four 10 mn.

3. Sortez les asperges de l'eau avec précaution, égouttez-les bien, mettez-en six ou huit de côté, placez les autres sur la pâte. Battez l'œuf avec la crème fraîche, salez, poivrez et versez sur les asperges. Disposez par-dessus les asperges mises de côté. Baissez le thermostat à 6 (200°), mettez le flan au four et laissez-le cuire pendant 25 mn.

4. Laissez refroidir le flan, enveloppez le moule avec précaution dans du papier d'aluminium, glissez-le dans un sac en plastique, scellez, étiquetez et congelez.

Pour servir : sortez le flan du plastique et faites-le réchauffer 30 mn au four, thermostat 5 1/2 (180°), puis ôtez le papier d'aluminium et remettez au four 10 mn.

Roulades de jambon au céleri

Pour 4 personnes. Préparation et cuisson : 35 mn. Stockage à −18° : 1 mois

 ★

- 2 petits pieds
  de céleri-branche
- 4 tranches
  de jambon blanc
- 1/2 litre de lait
  homogénéisé
- 70 g d'emmenthal râpé
- 50 g de beurre
- 25 g de farine
- 1 cuil. à café
  de Maïzena
- 1 quartier de citron
- sel, poivre,
  noix muscade

1. Coupez les pieds de céleri en deux dans le sens de la longueur. Taillez les branches à environ 12 cm de la base du bulbe. Lavez les pieds à l'eau claire. Faites-les cuire 15 mn à l'eau bouillante salée, puis égouttez-les. Faites fondre 20 g de beurre dans une cocotte et faites-y doucement rissoler les céleris, en les manipulant avec précaution pour qu'ils ne se défassent pas. Lorsqu'ils ont légèrement blondi, arrosez-les d'un filet de citron, salez, poivrez, couvrez, réduisez le feu et laissez cuire 15 mn à feu doux.

2. Pendant ce temps, préparez la sauce : délayez la Maïzena avec 2 cuillerées à soupe de lait. Faites fondre 30 g de beurre dans une casserole à fond épais, ajoutez la farine et remuez 2 mn. Arrosez peu à peu avec le lait, sans cesser de remuer ; ajoutez la Maïzena et remuez jusqu'à ce que la sauce épaississe ; incorporez le fromage râpé, salez modérément, poivrez, râpez un peu de noix muscade, mélangez bien et retirez du feu.

3. Otez la couenne et le gras du jambon. Posez une moitié de céleri sur chaque tranche et roulez-les. Placez les roulades dans une barquette d'aluminium et nappez-les de sauce. Laissez refroidir, couvrez, scellez, étiquetez et congelez.

Pour servir : placez la barquette fermée au bain-marie dans une cocotte couverte pendant 40 mn, puis ouvrez la barquette et faites gratiner 15 mn au four, thermostat 7 (230°).

Petites quiches pour cocktail

Pour 8 personnes. Préparation : 30 mn. Repos de la pâte : 2 h. Cuisson : 30 mn. Stockage à −18° : 1 mois

Pour la pâte :
- 400 g de farine
- 200 g de beurre
- sel, poivre

Pour la garniture :
- 200 g de lard de poitrine fumé, maigre
- 150 g de gruyère râpé
- 4 œufs
- 1 dl de crème fraîche épaisse
- 4 cuil. à café de ciboulette hachée
- 10 g de beurre
- sel, poivre

Pour les moules :
- 15 g de beurre

1. Confectionnez la pâte : faites ramollir le beurre au bain-marie. Tamisez la farine sur un plan de travail, creusez-la en fontaine, divisez le beurre en parcelles, mettez-les dans la fontaine, salez, poivrez, ajoutez 4 ou 5 cuillerées à soupe d'eau. Travaillez du bout des doigts en ramenant peu à peu la farine vers le centre pour l'amalgamer. Roulez la pâte en boule, puis divisez-la en petites boules de la taille d'un œuf ; écrasez-les avec la paume de la main, vers l'avant : la pâte s'étale en un ruban large. Remettez la pâte ainsi « fraisée » en tas et recommencez l'opération une deuxième fois. Roulez à nouveau toute la pâte en boule, poudrez-la de farine et laissez-la reposer 2 h.

2. Allumez le four, thermostat 6 (200°). Beurrez légèrement des moules à tartelettes. Aplatissez la pâte au rouleau. Découpez-y des ronds à l'aide d'un emporte-pièce. Garnissez chaque moule de pâte. Recouvrez de papier sulfurisé et de légumes secs. Faites cuire au four pendant 10 mn.

3. Préparez la garniture : battez les œufs en omelette, ajoutez la crème fraîche, la moitié du fromage râpé et la ciboulette, salez, poivrez, mélangez bien. Taillez le lard en petits bâtonnets et faites-les rissoler 5 mn à la poêle avec 10 g de beurre.

4. Sortez les tartelettes du four, sans éteindre ce dernier. Enlevez les haricots secs et le papier. Placez quelques lardons sur la pâte, recouvrez de sauce à la crème et au fromage. Répartissez dessus le reste du fromage râpé et mettez 20 mn au four, à la même température. Laissez refroidir et démoulez.

5. Emballez chaque quiche dans du papier d'aluminium, mettez-les à congeler séparément, puis regroupez-les en sachet de plastique, scellez, étiquetez et stockez.

Pour servir : ôtez le papier d'aluminium, puis mettez les quiches au four, thermostat 5 1/2 (180°), de 15 à 20 mn. Servez chaud.

Allumettes au fromage

Pour 4 personnes environ. Préparation : 20 mn. Repos de la pâte : 1 h. Stockage à −18° : 2 mois

- 225 g de farine
- 100 g de beurre mou
- 120 g de cheddar ou de mimolette râpé
- 25 g de parmesan râpé
- 2 jaunes d'œufs
- sel, poivre

1. Tamisez la farine dans un saladier, salez et poivrez. Divisez le beurre en parcelles, incorporez-le à la farine, en travaillant du bout des doigts, jusqu'à ce que la pâte ait la consistance de la semoule. Ajoutez alors les fromages râpés, les jaunes d'œufs et 3 ou 4 cuillerées à soupe d'eau. Travaillez rapidement la pâte à la main, puis roulez-la en boule, laissez reposer 1 h.

2. Après 1 h de repos, saupoudrez de farine un plan de travail et aplatissez la pâte au rouleau en un rectangle allongé, de 5 mm d'épaisseur. Découpez dans la pâte des bâtonnets de 5 mm de large sur 6 ou 7 cm de long. Façonnez les chutes de pâte en une petite boule, aplatissez-la au rouleau et découpez-la en anneaux.

3. Etalez anneaux et allumettes bien séparés les uns des autres sur un plateau recouvert d'une feuille d'aluminium, mettez à congeler ainsi, de 10 à 12 h, puis regroupez en barquette d'aluminium, couvrez, scellez, étiquetez, remettez à congeler de 5 à 6 h, puis stockez.

Pour servir : allumez le four, thermostat 6 (200°), placez les allumettes et les anneaux sur une tôle beurrée et faites cuire de 15 à 20 mn. Laissez refroidir 10 mn, puis glissez de petits paquets d'allumettes dans les anneaux. Servez tiède.

 ★

Mousse de haddock

Pour 6 personnes. Préparation : 10 mn. Cuisson : 20 mn. Stockage à −18° : 2 semaines

- *450 g de filet de haddock*
- *5 dl de lait homogénéisé*
- *50 g de beurre*
- *1,5 dl de crème fraîche épaisse*
- *1,5 dl de crème fleurette*
- *3 œufs*
- *sel, poivre*

1. Faites pocher le haddock dans le lait à feu doux pendant 15 à 20 mn. Faites durcir les œufs 10 mn à l'eau bouillante, puis écalez-les et hachez-les. Faites fondre le beurre au bain-marie, à feu très doux.

2. Lorsque le haddock se défait facilement, égouttez-le (en conservant le lait), ôtez la peau et les arêtes, passez-le au mixer avec 1 dl du lait dans lequel il a cuit et les œufs hachés et versez la purée obtenue dans un saladier. Ajoutez le beurre fondu et les crèmes fraîches ; salez, poivrez et mélangez au fouet pour obtenir une préparation homogène.

3. Versez la préparation dans un moule en aluminium, couvrez, scellez, étiquetez et congelez. Stockez à −18°.

Pour servir : faites décongeler 15 h au réfrigérateur, puis démoulez et servez avec des toasts chauds. Vous pouvez garnir le plat de feuilles de salade et de rondelles de tomates.

Coquilles Saint-Jacques au gratin

Pour 4 personnes. Préparation et cuisson : 45 mn. Stockage à −18° : 3 semaines

- 4 grosses coquilles Saint-Jacques
- 100 g de champignons de Paris
- 1 petite gousse d'ail
- 1 petite échalote
- 1 petit oignon
- 1 dl de vin blanc sec
- 1 cuil. à café de persil haché
- 50 g de farine
- 2 cuil. à café de Maïzena
- 5 dl de lait homogénéisé
- 60 g de beurre
- sel, poivre, noix muscade

1. Faites préparer les coquilles par le poissonnier et demandez-lui les coquilles vides. Rincez les noix et les coraux, mettez-les dans une casserole avec le vin blanc et une pincée de sel. Faites chauffer à feu très doux et laissez-les pocher dans le liquide à peine frémissant pendant 5 mn, puis égouttez noix et coraux, passez et réservez le jus. Coupez les noix en dés, gardez les coraux intacts.

2. Pelez l'oignon, hachez-le. Otez la partie sableuse du pied des champignons, lavez-les et hachez-les menu. Epluchez et hachez l'ail et l'échalote. Faites fondre 25 g de beurre dans un poêlon. Faites-y revenir l'oignon sans le laisser dorer, ajoutez les champignons, l'ail et l'échalote, augmentez le feu et faites revenir en remuant, pendant 5 mn. Ajoutez 20 g de farine, remuez 2 mn, arrosez avec le jus de cuisson des coquilles, ajoutez le persil, portez à ébullition, salez, poivrez et remuez jusqu'à ce que la sauce épaississe. Délayez 1 cuillerée à café de Maïzena avec 2 cuillerées à soupe d'eau, ajoutez-la à la sauce, ainsi que les dés de noix, mélangez encore 1 mn, puis retirez du feu.

3. Délayez le reste de Maïzena dans le lait. Faites fondre 30 g de beurre dans une casserole, ajoutez 30 g de farine, mélangez à la spatule de bois pendant 3 mn, puis arrosez avec le lait en remuant jusqu'à ce que la sauce épaississe. Salez, poivrez, râpez un peu de noix muscade et laissez tiédir.

4. Brossez et rincez soigneusement les coquilles vides à l'eau claire, beurrez-les légèrement, puis garnissez-les avec la préparation aux noix et aux champignons, disposez dessus 1 croissant de corail, puis nappez avec la sauce. Décorez éventuellement d'une bordure de purée de pommes de terre posée à l'aide d'une poche à douille.

5. Laissez refroidir et congelez à découvert, puis emballez chaque coquille dans du papier d'aluminium, mettez en sachets de plastique, scellez, étiquetez et stockez.

Pour servir : faites dorer au four, thermostat 6 (200°), à découvert, de 30 à 40 mn.

Mousse de harengs de la Baltique

Pour 6 personnes. Préparation : 15 mn. Stockage à −18° : 2 semaines

- 300 g de harengs de la Baltique
- 3 dl de crème fraîche
- 2 cuil. à soupe de jus de citron
- poivre de Cayenne

1. Enlevez la peau et les arêtes des harengs. Coupez les filets en gros dés et passez-les au mixer avec le jus de citron. Versez la purée obtenue dans une terrine, ajoutez la crème et une pincée de poivre de Cayenne. Fouettez. Versez dans des ramequins.

2. Couvrez chaque ramequin de papier d'aluminium, scellez, étiquetez et congelez.

Pour servir : décongelez 12 h au réfrigérateur et décorez d'olives farcies.

Taramosalata

Pour 4 personnes. Préparation : 10 mn. Stockage à −18° : 1 mois

- 180 g d'œufs de cabillaud fumés
- 50 g de mie de pain
- 4 cuil. à soupe de lait homogénéisé
- 9 cuil. à soupe d'huile d'arachide
- 2 cuil. à soupe de jus de citron
- 1 gousse d'ail
- sel, poivre

1. Faites tremper la mie de pain dans le lait. Pelez et hachez l'ail. Sortez les œufs de cabillaud de la poche qui les renferme, mettez-les dans un mixer avec l'ail, l'huile et le jus de citron. Salez très modérément, poivrez. Egouttez la mie de pain, ajoutez-la aux autres éléments et faites marcher l'appareil jusqu'à obtention d'une purée lisse et homogène.

2. Versez la préparation obtenue dans une barquette d'aluminium, couvrez, scellez, étiquetez et congelez.

Pour servir : placez la barquette au réfrigérateur et laissez décongeler pendant 12 h environ. Servez avec des quartiers de citron, du pain frais, grillé ou non, et du beurre.

★

Mousse de saumon aux œufs

Pour 6 personnes. Préparation : 15 mn. Cuisson : 10 mn. Réfrigération : 2 h. Stockage à −18° : 2 semaines

- *180 g de saumon cuit, frais ou fumé*
- *3 œufs + 1 jaune*
- *2 dl d'huile d'arachide*
- *1 dl de crème fraîche*
- *1,5 dl de madère*
- *6 feuilles de gélatine*
- *1 cuil. à café de persil haché*
- *1/2 citron*
- *sel, poivre*

1. Faites durcir 3 œufs à l'eau bouillante pendant 10 mn. Ecalez-les, hachez-les grossièrement. Versez l'huile goutte à goutte sur le jaune d'œuf cru, en remuant sans arrêt ; lorsque la mayonnaise a pris, salez, poivrez, ajoutez un filet de citron. Faites ramollir la gélatine dans de l'eau froide, puis mettez-la au bain-marie avec le madère et 6 cuillerées à soupe d'eau. Laissez tiédir.

2. Retirez la peau et les arêtes du saumon, passez la chair au mixer avec les œufs et les 3/4 du mélange gélatine-madère. Versez cette préparation dans un saladier, ajoutez, en fouettant, la mayonnaise et la crème. Salez modérément, poivrez. Versez dans une terrine. Mélangez le persil au reste de gélatine et versez sur la mousse. Laissez prendre au réfrigérateur. Couvrez de papier d'aluminium, scellez, étiquetez, congelez.

Pour servir : laissez 15 h au réfrigérateur ; décorez de rondelles d'œuf dur.

Petites tourtes au curry ★★

Pour 4 personnes. Préparation : 20 mn. Repos de la pâte : 2 h. Stockage à −18° : 1 mois

- *400 g de hachis de bœuf frais (recette ci-contre)*
- *300 g de farine*
- *150 g de beurre mou*
- *2 cuil. à soupe d'huile d'arachide*
- *1 cuil. à soupe de curry fort*
- *1 cuil. à soupe de noix de coco râpée*
- *sel, poivre*

1. Préparez la pâte, laissez-la reposer 2 h, aplatissez-la et garnissez-en des moules à tartelettes en aluminium (voir page suivante la recette des tourtes à la viande).

2. Faites chauffer l'huile dans une petite poêle, jetez-y en pluie le curry et la noix de coco, remuez, laissez frire 1 mn, puis versez cette préparation sur le hachis et mélangez soigneusement. Emplissez les tartelettes de hachis, posez et soudez les couvercles.

3. Enveloppez chaque moule dans du papier d'aluminium, scellez et faites congeler séparément, puis regroupez par deux dans des sachets en plastique hermétiquement fermés, étiquetez et stockez.

Pour servir : ôtez le papier d'aluminium, badigeonnez avec de l'œuf battu, faites une fente au milieu de chaque couvercle de pâte avec la pointe d'un couteau et mettez à four chaud, thermostat 7 (230°), de 25 à 30 mn, jusqu'à ce que la pâte soit bien dorée.

Petites tourtes à la viande

★★

Pour 4 personnes. Préparation : 20 mn. Repos de la pâte : 2 h. Stockage à −18° : 1 mois

- 400 g de hachis de bœuf frais (recette ci-dessous)
- 300 g de farine
- 150 g de beurre mou
- sel, poivre

1. Préparez la pâte : tamisez la farine, creusez-la en fontaine, coupez le beurre en morceaux, placez-les dans la fontaine avec du sel et du poivre et 3 ou 4 cuillerées à soupe d'eau. Travaillez du bout des doigts en ramenant peu à peu la farine vers le centre pour l'amalgamer. Roulez la pâte en boule, fractionnez-la et écrasez chaque partie avec la paume de la main. Remettez le tout ensemble et recommencez à nouveau l'opération, puis roulez la pâte en boule et laissez-la reposer 2 h.

2. Aplatissez la pâte au rouleau sur 5 mm d'épaisseur. Découpez des cercles de pâte un peu plus grands que les moules pour le couvercle des tourtes, puis garnissez des moules à tartelettes en aluminium avec le reste de la pâte. Emplissez-les de hachis. Humidifiez les bords de la pâte et posez les couvercles ; fermez en pinçant avec les doigts. Décorez avec les chutes de pâte.

3. Enveloppez chaque moule dans du papier d'aluminium, scellez et faites congeler séparément, puis regroupez par deux dans des sachets en plastique hermétiquement fermés, étiquetez et stockez.

Pour servir : ôtez le papier d'aluminium, badigeonnez avec de l'œuf battu, faites une fente au milieu de chaque couvercle de pâte avec la pointe d'un couteau et mettez 30 mn à four chaud, thermostat 7 (230°). Servez chaud avec une salade.

Hachis gratiné à la campagnarde

★

Pour 4 personnes. Préparation et cuisson : 40 mn. Stockage à −18° : 1 mois

- 500 g de hachis de bœuf frais (recette ci-dessous)
- 250 g de carottes
- 500 g de pommes de terre
- 3 dl de lait homogénéisé
- 25 g de beurre
- 1 cuil. à soupe de persil haché
- sel, poivre

1. Lavez les pommes de terre et faites-les cuire à l'eau bouillante, sans les éplucher, pendant 30 mn. Grattez les carottes, rincez-les, hachez-les finement. Faites-les cuire 20 mn à l'eau bouillante salée, puis égouttez-les. Ajoutez-les au hachis, ainsi que le persil. Mélangez. Egouttez les pommes de terre, épluchez-les et passez-les au moulin à légumes (grille fine), ajoutez le lait et le beurre, salez, poivrez, mélangez bien.

2. Etendez la moitié de la viande dans un plat à gratin, recouvrez de purée, étendez le reste de la viande, recouvrez à nouveau de purée. Dessinez des vagues avec une fourchette ou une poche à pâtisserie munie d'une douille cannelée.

3. Faites congeler à découvert, puis enveloppez dans une feuille d'aluminium, scellez, étiquetez et stockez.

Pour servir : ôtez l'emballage et mettez au four, thermostat 6 (200°), pendant 1 h environ. Répartissez un peu de persil haché sur le plat au moment de servir.

Hachis de bœuf

★

Recette de base, à utiliser selon les besoins. Préparation et cuisson : 35 mn. Stockage à −18° : 1 mois

- 2 kg de bœuf haché maigre
- 500 g d'oignons
- 25 g de beurre
- 50 g de farine
- sel, poivre

1. Pelez les oignons et hachez-les menu. Faites fondre le beurre dans une grande poêle, ajoutez les oignons, faites-les blondir à feu doux, en remuant fréquemment, pendant 8 à 10 mn. Ajoutez la farine, salez, poivrez, remuez pendant 3 mn, puis ajoutez 3 dl d'eau et le bœuf haché. Faites cuire 15 mn en émiettant la viande à la fourchette.

2. Laissez refroidir et utilisez immédiatement dans les plats que vous voulez congeler, ou congelez tel quel pour des préparations ultérieures : divisez le hachis en portions, placez-les dans des barquettes en aluminium. Couvrez, scellez, étiquetez et congelez.

Pour utiliser : faites directement réchauffer à la poêle, avec 1 ou 2 cuillerées à soupe d'eau, à feu doux et à couvert.

Boulettes de viande à l'italienne

Pour 4 personnes. Préparation et cuisson : 1 h. Stockage à −18° : 1 mois

- *250 g de veau cuit haché*
- *150 g de chair à saucisse*
- *200 g de tagliatelles*
- *1 petit pied de céleri-branche*
- *1 poivron rouge*
- *100 g de champignons*
- *4 oignons*
- *1 gousse d'ail*
- *1 cuil. à soupe de farine*
- *2 cuil. à soupe de concentré de tomate*
- *3 cuil. à soupe d'huile d'olive*
- *1 dl de vin blanc sec*
- *50 g de parmesan râpé*
- *50 g d'emmenthal râpé*
- *2 pincées d'origan*
- *sel, poivre*

1. Pelez les oignons, hachez-en un finement, coupez les autres en lamelles. Pelez et hachez l'ail. Lavez le céleri et coupez-le en tronçons. Lavez le poivron, coupez-le en deux, ôtez le pédoncule, les graines et les filaments blancs et coupez-le en lanières. Otez le pied sableux des champignons, lavez-les, coupez-les en lamelles. Faites chauffer 1 cuillerée à soupe d'huile, faites-y fondre l'ail et l'oignon hachés à feu doux pendant 2 mn. Ajoutez la chair à saucisse, faites-la revenir 5 mn en l'émiettant à la fourchette, puis versez le tout dans une terrine avec le veau, l'origan, du sel et du poivre. Mélangez, façonnez cette préparation en boulettes, roulez-les dans la farine.

2. Faites chauffer 2 cuillerées à soupe d'huile dans une sauteuse, faites-y rissoler les boulettes pendant 5 mn, égouttez-les. Faites revenir dans la même sauteuse les oignons, le céleri, le poivron et les champignons pendant 5 mn. Arrosez avec le vin et 2 dl d'eau. Ajoutez le concentré de tomate, salez, poivrez, mélangez et laissez mijoter 20 mn.

3. Pendant ce temps, allumez le four, thermostat 6 (200°). Faites cuire les pâtes dans 2 litres d'eau bouillante salée, pendant 15 mn. Egouttez-les, puis placez-les dans la sauteuse avec les boulettes. Ajoutez le parmesan, mélangez délicatement. Versez dans une barquette en aluminium, répartissez dessus l'emmenthal et faites gratiner 10 mn.

4. Laissez refroidir, couvrez, scellez, étiquetez et congelez.

Pour servir : mettez la barquette fermée dans un plat au bain-marie et réchauffez au four, thermostat 6 (200°), pendant 35 à 40 mn.

Bœuf au poivron et aux champignons

Pour 5-6 personnes. Marinade : 3 h. Préparation : 20 mn. Cuisson : 2 h 45. Stockage à —18° : 3 mois

- 1 kg de bœuf (paleron ou gîte à la noix)
- 100 g de lardons
- 150 g de petits champignons de Paris
- 1 poivron vert
- 3 oignons
- 3 dl de bon vin rouge
- 3 dl de bouillon de bœuf
- 25 g de farine
- 3 cuil. à soupe d'huile
- 1 feuille de laurier
- 1 cuil. à café de thym et de romarin
- 1 cuil. à café de persil haché
- poivre de Cayenne

1. Coupez la viande en cubes de 3 cm de côté. Epluchez 1 oignon, coupez-le en lamelles. Mettez la viande dans une terrine, ajoutez l'oignon, le thym, le romarin, le persil, une pincée de poivre de Cayenne, émiettez le laurier, arrosez de vin rouge et de 2 cuillerées à soupe d'huile, mélangez bien, couvrez et laissez mariner 3 h.

2. Lorsque la marinade est achevée, égouttez la viande et passez la marinade. Pelez et hachez 2 oignons. Coupez le pied sableux des champignons, lavez-les et essuyez-les. Lavez le poivron, ôtez les filaments blancs et les graines, coupez-le en gros dés.

3. Faites chauffer 1 cuillerée à soupe d'huile dans une cocotte et faites-y sauter les champignons, les lardons, les oignons et le poivron pendant 8 mn, à feu vif, en remuant. Retirez ces éléments avec une écumoire et mettez la viande dans la même cocotte. Faites-lui prendre couleur en remuant fréquemment, puis saupoudrez de farine, réduisez le feu et remuez pendant 3 mn. Arrosez avec la marinade et le bouillon, mélangez et portez à ébullition. Couvrez et laissez mijoter 1 h 30. Ajoutez alors les légumes et les lardons, mélangez, couvrez à nouveau et laissez mijoter encore 1 h.

4. Versez la préparation dans une barquette en aluminium, laissez refroidir, couvrez, scellez, étiquetez et congelez.

Pour servir : mettez la barquette fermée 12 h au réfrigérateur, puis transférez son contenu dans une cocotte, rectifiez l'assaisonnement et faites réchauffer à feu modéré.

Boulettes de viande à l'exotique

Pour 4 personnes. Préparation et cuisson : 1 h. Stockage à −18° : 1 mois

- *400 g de bœuf haché*
- *50 g de mie de pain fraîche*
- *4 oignons*
- *2 gousses d'ail*
- *1 beau poireau*
- *2 carottes*
- *3 cuil. à soupe de lait*
- *1 cuil. à soupe de raisins de Corinthe*
- *2 cuil. à soupe de farine*
- *2 cuil. à soupe de Maïzena*
- *1 œuf*
- *2 cuil. à café de sucre*
- *1 cuil. à soupe de vinaigre de vin*
- *1 cuil. à soupe de sauce de soja*
- *1 petite boîte de concentré de tomate*
- *3 cuil. à soupe d'huile d'olive*
- *sel, poivre*

1. Nettoyez le poireau, ne conservez que le blanc et 1/3 de la partie verte, coupez-le en lamelles. Grattez et rincez les carottes, coupez-les en bâtonnets minces. Pelez et hachez finement l'ail et les oignons. Rincez les raisins secs.

2. Faites chauffer 1 cuillerée à soupe d'huile d'olive dans une petite poêle, faites-y revenir 2 cuillerées à soupe du hachis ail-oignons pendant 3 mn, puis retirez du feu.

3. Faites chauffer la mie de pain et le lait, à feu doux, en mélangeant à la fourchette jusqu'à ce que le mélange soit homogène. Battez l'œuf en omelette dans une terrine, mélangez-y le bœuf haché, l'ail et les oignons rissolés, les raisins secs et la mie de pain. Salez, poivrez, travaillez cette préparation à la main, puis façonnez-la en boulettes. Roulez-les dans la farine. Faites chauffer 2 cuillerées à soupe d'huile dans une sauteuse, faites-y revenir les boulettes à feu moyen, puis égouttez-les.

4. Mettez les carottes, le poireau, le reste d'ail et d'oignons dans la sauteuse et faites revenir 10 mn à feu doux en remuant fréquemment. Délayez la Maïzena avec 1 dl d'eau, versez-la dans la sauteuse, ajoutez du sel, du poivre, le sucre, le vinaigre, la sauce de soja et le concentré de tomate. Mélangez et ajoutez les boulettes. Couvrez et laissez mijoter 30 mn à feu doux.

5. Versez les boulettes et leur sauce dans une grande barquette d'aluminium, laissez refroidir. Couvrez, scellez, étiquetez et congelez.

Pour servir : placez la barquette fermée au bain-marie et au four, thermostat 6 (200°), pendant 30 à 40 mn, puis disposez son contenu dans un plat de service.

Lasagnes

Pour 5-6 personnes. Préparation et cuisson : 25 mn. Stockage à −18° : 1 mois

- *150 g de pâtes italiennes larges (lasagnes)*
- *500 g de sauce pour spaghettis fraîchement préparée (voir ci-contre)*
- *1/2 litre de lait homogénéisé*
- *50 g de farine*
- *60 g de beurre*
- *1 cuil. à soupe de Maïzena*
- *150 g de gruyère râpé*
- *50 g de mozzarella en tranches fines*
- *1/2 cuil. à café d'origan*
- *sel, poivre*

1. Faites cuire les lasagnes de 5 à 7 mn dans une grande quantité d'eau bouillante salée. Egouttez-les et étalez-les les unes à côté des autres sur un torchon.

2. Faites fondre 50 g de beurre dans une casserole, ajoutez la farine, mélangez 2 mn à la cuillère de bois, puis arrosez peu à peu avec le lait, sans cesser de remuer ; portez à ébullition ; délayez la Maïzena avec 2 cuillerées à soupe d'eau, ajoutez-la à la sauce, mélangez et laissez cuire 5 mn. Otez la casserole du feu, salez, poivrez, mélangez. Ajoutez le gruyère râpé et mélangez bien. Beurrez légèrement une barquette profonde en aluminium et versez au fond une couche de sauce Béchamel, recouvrez de lasagnes, déposez une couche de sauce pour spaghettis, remettez une couche de sauce Béchamel et ainsi de suite jusqu'à 2 cm du bord de la barquette. Terminez avec les tranches de mozzarella. Répartissez l'origan dessus.

3. Laissez refroidir, puis couvrez, scellez, étiquetez et congelez.

Pour servir : mettez 24 h au réfrigérateur, puis enlevez le couvercle de la barquette et faites gratiner 45 mn au four, thermostat 5 1/2 (180°).

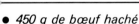

Sauce à la viande pour spaghettis

Pour 4-5 portions de spaghettis. Préparation et cuisson : 1 h 15. Stockage à −18° : 1 mois

- *450 g de bœuf haché*
- *50 g de lard fumé*
- *6 oignons*
- *2 gousses d'ail*
- *1 petit céleri-branche*
- *500 g de tomates*
- *20 olives vertes farcies*
- *10 grosses olives noires*
- *2 dl de bouillon*
- *1 cuil. à soupe d'huile d'olive*
- *1/2 cuil. à soupe de thym frais*
- *sel, poivre*

1. Lavez les tomates, coupez-les en deux et passez-les au moulin à légumes (grille fine). Pelez et hachez l'ail et les oignons. Lavez le céleri et coupez-le en petits tronçons. Taillez le lard en petits dés. Coupez les olives farcies en rondelles. Dénoyautez les olives noires et hachez-les.

2. Faites chauffer l'huile dans une poêle et faites-y revenir ail, oignons, céleri et lardons à feu moyen, en remuant à la cuillère de bois, pendant 5 mn. Ajoutez alors la viande, faites cuire encore 5 mn sans cesser de remuer, puis ajoutez les tomates, le bouillon, le thym et les olives noires hachées. Poivrez bien, salez modérément. Mélangez, couvrez et laissez mijoter 1 h à feu doux. Au moment de retirer la sauce du feu, ajoutez les olives farcies.

3. Versez la sauce dans une barquette en aluminium, couvrez et laissez refroidir. Scellez, étiquetez et congelez.

Pour servir : mettez la sauce congelée dans une casserole à fond épais avec 1 cuillerée à soupe d'eau et 1/2 cuillerée à soupe d'huile d'olive. Couvrez et laissez chauffer 30 mn.

Curry de bœuf

Pour 5-6 personnes. Marinade : 1 h. Préparation : 15 mn. Cuisson : 1 h 45. Stockage à −18° : 1 mois

- *1 kg de paleron de bœuf coupé en petits dés*
- *3 dl de bouillon*
- *2 gros oignons*
- *1 petit citron non traité*
- *le jus d'un citron*
- *15 g de farine*
- *2 cuil. à café de sucre roux*
- *1 pincée de romarin*
- *1 ou 2 petits piments rouges séchés*
- *1 feuille de laurier*
- *1 ou 2 cuil. à café de curry fort*
- *2 cuil. à soupe d'huile d'arachide*
- *1 cuil. à café de sauce de soja*
- *poivre*

1. Lavez le citron, coupez-le en tranches minces, recoupez-les en quatre ; mettez dans un bol avec le sucre roux et laissez reposer 1 h. Pelez et hachez 1 oignon. Mettez les dés de viande dans une terrine avec le jus de citron, l'oignon haché, 1 cuillerée à soupe d'huile et le romarin ; émiettez le laurier, poivrez et laissez mariner 1 h.

2. Egouttez la viande. Pelez et hachez le second oignon. Faites chauffer le reste de l'huile dans une cocotte, jetez-y le curry, le piment et l'oignon et faites revenir, à feu modéré, pendant 3 mn, en remuant, puis ajoutez la viande et faites-lui prendre couleur de tous côtés. Saupoudrez de farine, mélangez 1 mn, puis, peu à peu, versez le bouillon, tout en remuant ; ajoutez les morceaux de citron et leur marinade et la sauce de soja. Couvrez et laissez mijoter 1 h 30.

3. Versez le curry dans une barquette profonde en aluminium. Couvrez et laissez refroidir. Scellez, étiquetez, congelez.

Pour servir : laissez la barquette fermée 12 h au réfrigérateur, puis transférez son contenu dans une cocotte et faites réchauffer à feu modéré. Salez. Servez avec du riz créole.

Crêpes farcies à la texane

Pour 4 personnes. Préparation et cuisson : 1 h. Stockage à −18° : 3 semaines

- *350 g de bœuf haché*
- *5 tomates*
- *3 dl de lait homogénéisé*
- *50 g d'emmenthal râpé*
- *1 cuil. à café de moutarde forte*
- *1 cuil. à café de Maïzena*
- *1 gousse d'ail*
- *50 g de farine*
- *1/4 de cuil. à café de sauce au piment (harissa)*
- *1/4 de cuil. à café de gingembre en poudre*
- *1 cuil. à café de sauce Worcestershire*
- *1 cuil. à café de vinaigre de vin*
- *2 cuil. à soupe d'huile*
- *50 g de beurre*
- *sel, poivre*

Pour les crêpes :
- *100 g de farine*
- *2 œufs*
- *1 cuil. à soupe d'huile*
- *3 dl de lait*
- *25 g de beurre*
- *sel*

1. Préparez la farce : pelez l'ail et hachez-le. Ebouillantez les tomates quelques secondes, pelez-les, ôtez les graines et coupez-les en morceaux. Faites chauffer l'huile dans une cocotte, ajoutez la moitié du beurre ; faites-y revenir la viande pendant 5 mn environ, jusqu'à ce qu'elle ait absorbé la graisse. Saupoudrez de 25 g de farine, mélangez pendant 1 mn, puis ajoutez la sauce au piment, l'ail, le gingembre, le vinaigre, la sauce Worcestershire et les tomates. Salez, poivrez, mélangez bien, couvrez, réduisez le feu et laissez mijoter 15 mn.

2. Pendant ce temps, préparez les crêpes : tamisez la farine dans un saladier, faites-y une fontaine, cassez-y les œufs, ajoutez l'huile et une pincée de sel. Travaillez à la cuillère de bois, en ajoutant le lait peu à peu. Faites fondre le beurre dans une poêle de 20 cm, puis versez-le dans un bol. Versez une petite louche de pâte dans la poêle, inclinez-la de part et d'autre pour que la pâte s'étale bien ; lorsqu'elle glisse facilement sur le fond de la poêle, retournez-la d'un coup de poignet ou à l'aide d'une spatule en métal. Faites cuire 7 autres crêpes de la même façon, en graissant un peu la poêle, avec le beurre mis de côté, entre chaque crêpe.

3. Rectifiez l'assaisonnement de la farce et déposez-en un peu au milieu de chaque crêpe, en forme de boudin ; rabattez les bords libres de la crêpe sur la farce.

4. Délayez la Maïzena dans le lait. Faites fondre le reste du beurre dans une casserole. Ajoutez-y 25 g de farine, mélangez à la cuillère de bois pendant 2 mn, puis arrosez peu à peu avec le lait, sans cesser de remuer. Faites bouillir 5 mn, puis ôtez la casserole du feu, ajoutez la moutarde et le fromage râpé, salez, poivrez et mélangez.

5. Disposez les crêpes quatre par quatre dans 2 barquettes d'aluminium, nappez-les de sauce, laissez refroidir, puis couvrez, scellez, étiquetez et congelez.

Pour servir : laissez 12 h au réfrigérateur, puis enlevez les couvercles des barquettes et faites gratiner au four, thermostat 6 (200°), de 20 à 30 mn.

★★ Petites tourtes au steak et aux rognons

Pour 4-6 personnes. Préparation et cuisson : 40 mn. Repos de la pâte : 2 h. Stockage à −18° : 1 mois

- *225 g de bœuf (bavette ou faux-filet)*
- *225 g de rognons de veau*
- *100 g de champignons de Paris*
- *30 g de farine*
- *25 g de beurre*
- *1 gros oignon*
- *2 cuil. à soupe de xérès ou de madère*
- *1 cuil. à soupe de persil haché*
- *sel, poivre*

Pour la pâte :
- *300 g de farine*
- *150 g de beurre mou*
- *sel, poivre*

1. Préparez la pâte (voir la recette des petites tourtes à la viande, page 25). Laissez-la reposer 2 h.

2. Pendant ce temps, pelez et hachez l'oignon. Coupez la partie sableuse du pied des champignons, lavez-les et coupez-les en lamelles. Coupez le steak et les rognons en petits cubes et roulez-les dans la farine.

3. Faites fondre le beurre dans une sauteuse et faites-y dorer les dés de bœuf et de rognon à feu vif, puis retirez-les avec une écumoire et mettez-les de côté. Faites revenir oignon et champignons dans la sauteuse pendant 3 mn à feu vif, puis ajoutez-les à la viande. Versez 1 dl d'eau dans la sauteuse, grattez le fond à la spatule de bois pour dissoudre les sucs de viande, ajoutez le xérès et le persil, salez, poivrez, faites réduire à feu vif jusqu'à ce qu'il ne reste que 2 cuillerées à soupe de liquide. Arrêtez la cuisson. Ajoutez la viande et les champignons dans la sauteuse, mélangez.

4. Aplatissez la pâte au rouleau, sur 5 mm d'épaisseur ; à l'aide d'un emporte-pièce, découpez des ronds de pâte un peu plus grands que les moules à tartelettes en aluminium, pour former les couvercles. Garnissez les moules avec le reste de la pâte, emplissez-les avec la garniture préparée, humidifiez les bords de la pâte, posez les couvercles et pincez les bords pour bien les souder.

5. Laissez refroidir complètement le hachis à l'intérieur des tourtes, puis enveloppez chacune d'elles dans du papier d'aluminium. Faites congeler les tourtes séparément, puis regroupez-les en sac de plastique, scellez, étiquetez et stockez.

Pour servir : ôtez le papier d'aluminium, badigeonnez les tourtes d'œuf battu et mettez à four chaud, thermostat 7 (230°), pendant 25 à 30 mn.

Filet de porc aux carottes

★

Pour 4 personnes. Préparation et cuisson : 1 h 15. Stockage à −18° : 2 mois

- *500 g de filet de porc*
- *250 g de carottes*
- *100 g de champignons*
- *40 g de beurre*
- *40 g de farine*
- *1 cuil. à café de Maïzena*
- *6 dl de bouillon léger*
- *1 filet de citron*
- *poivre*

Pour servir :
- *1,5 dl de crème fleurette*

1. Coupez le pied sableux des champignons, lavez-les et arrosez-les de jus de citron. Grattez et rincez les carottes. Coupez le porc en tranches de 1,5 cm d'épaisseur.

2. Faites fondre le beurre dans une cocotte ; faites-y dorer le porc à feu modéré pendant 5 mn, puis égouttez-le. Réduisez le feu, versez la farine dans la cocotte, faites-la cuire 2 mn en remuant. Délayez la Maïzena avec le bouillon, versez dans la cocotte tout en mélangeant, puis ajoutez le porc et les carottes. Poivrez, couvrez et laissez mijoter 45 mn. Ajoutez alors les champignons et laissez cuire encore 15 mn.

3. Versez cette préparation dans une barquette en aluminium, laissez totalement refroidir, couvrez, scellez, congelez.

Pour servir : laissez la barquette 12 h au réfrigérateur, puis versez son contenu dans une cocotte, salez, réchauffez 25 mn à feu doux, ajoutez la crème et servez.

Tranches de gigot sauce piquante

★

Pour 4 personnes. Préparation et cuisson : 1 h. Stockage à −18° : 1 mois

- *4 tranches épaisses (2 cm) de gigot*
- *400 g de tomates*
- *1 gros oignon*
- *1 gousse d'ail*
- *15 g de farine*
- *50 g de beurre*
- *25 g de sucre roux*
- *3 cuil. à soupe de vinaigre de vin*
- *paprika*
- *poivre de Cayenne*
- *poivre noir*

1. Pelez l'ail et l'oignon, hachez-les. Plongez les tomates dans de l'eau bouillante pendant quelques secondes, égouttez-les, pelez-les et écrasez-les grossièrement.

2. Faites fondre le beurre dans une grande cocotte, faites-y rapidement dorer les tranches d'agneau, à feu vif, puis retirez-les. A leur place, mettez l'ail et l'oignon, réduisez le feu et faites rissoler 5 mn en remuant. Saupoudrez de farine, faites cuire 2 mn en remuant toujours. Ajoutez les tomates, le sucre, le vinaigre, remuez le tout pendant 5 mn, puis remettez les tranches de viande. Poivrez, ajoutez une pincée de poivre de Cayenne et de paprika, couvrez et laissez cuire 45 mn à feu doux.

3. Versez la préparation dans une grande barquette en aluminium. Couvrez, laissez refroidir, scellez, étiquetez et congelez.

Pour servir : placez la barquette fermée de 12 à 15 h au réfrigérateur, puis mettez-la toujours fermée, au four, thermostat 6 (200°), pendant 20 à 25 mn. Salez.

Gratin d'aubergines

★

Pour 4 personnes. Faire dégorger les aubergines 30 mn. Préparation et cuisson : 45 mn. Stockage à −18° : 3 semaines

- *450 g de mouton haché*
- *4 belles aubergines*
- *5 tomates*
- *4 oignons*
- *1 gousse d'ail*
- *100 g de gruyère râpé*
- *50 g de farine*
- *3 dl de lait homogénéisé*
- *1 cuil. à café de Maïzena*
- *25 g de beurre*
- *7 cuil. à soupe d'huile d'olive*
- *1 cuil. à café de thym et de romarin*
- *1 cuil. à soupe de persil haché*
- *sel, poivre*

1. Lavez les aubergines, coupez-les en rondelles de 5 mm, saupoudrez-les de sel et laissez-les dégorger 30 mn. Ebouillantez les tomates, pelez-les, coupez-les en morceaux. Pelez l'ail et les oignons, hachez-les finement.

2. Rincez les aubergines et épongez-les. Faites chauffer 6 cuillerées à soupe d'huile dans une grande poêle et faites-y frire les aubergines, puis égouttez-les sur du papier absorbant. Jetez l'huile de cuisson des aubergines. Versez dans la poêle le reste de l'huile et faites-y revenir le mouton haché avec l'ail et les oignons, pendant 15 mn. Saupoudrez avec 25 g de farine, mélangez, ajoutez les tomates, les herbes et 5 cl d'eau. Salez, poivrez, portez à ébullition et laissez mijoter 15 mn à feu doux, sans couvrir.

3. Délayez la Maïzena avec le lait. Faites fondre le beurre dans une casserole, ajoutez 25 g de farine, mélangez 2 mn, puis ajoutez peu à peu le lait, sans cesser de tourner. Portez à ébullition, laissez cuire 5 mn, puis ajoutez 50 g de gruyère, salez, poivrez.

4. Versez un peu de sauce dans une barquette en aluminium, rangez dessus une couche d'aubergines, étalez sur celle-ci une couche de hachis, recouvrez de sauce, continuez ainsi jusqu'à 2 cm du bord. Terminez par une couche d'aubergines et le reste du gruyère. Laissez refroidir, puis couvrez, scellez, étiquetez et congelez.

Pour servir : mettez la barquette fermée de 12 à 15 h au réfrigérateur, puis enlevez le couvercle et faites gratiner au four, thermostat 7 (230°), de 30 à 40 mn.

Paupiettes de veau

Pour 4 personnes. Préparation : 30 mn. Cuisson : 1 h 15. Stockage à −18° : 3 semaines

- 4 escalopes de veau de 120 g chacune
- 125 g de lard maigre
- 50 g de chair à saucisse
- 1 œuf
- 150 g de champignons
- 30 g de beurre ramolli
- 2 cuil. à soupe d'huile
- 50 g de mie de pain
- 5 cl de lait
- 1 oignon
- 1 échalote
- 2 cuil. à café de farine
- 3 dl de bouillon léger
- 6 cl de madère
- 1 cuil. à café de concentré de tomate
- 1 cuil. à soupe de fines herbes hachées
- sel, poivre, muscade

1. Emiettez la mie et faites-la tremper dans le lait. Battez l'œuf en omelette. Faites fondre le beurre dans une petite casserole. Hachez finement le lard ; mettez-le dans une terrine avec les fines herbes, l'œuf battu et la chair à saucisse. Egouttez la mie de pain, ajoutez-la dans la terrine, ainsi que le beurre fondu, du sel, du poivre et une pincée de noix muscade. Travaillez à la main pour obtenir une farce homogène.

2. Etalez les escalopes et déposez sur chacune une couche de farce. Roulez les escalopes sur elles-mêmes en enfermant la farce à l'intérieur. Ficelez-les.

3. Epluchez et hachez l'oignon et l'échalote. Faites chauffer l'huile dans une grande cocotte, faites-y revenir les paupiettes de tous côtés ; lorsqu'elles sont bien dorées, retirez-les, mettez à leur place l'échalote et l'oignon, remuez pendant 3 mn, puis réduisez le feu, saupoudrez de farine, laissez cuire 2 mn en remuant. Arrosez avec le bouillon et le madère, ajoutez le concentré de tomate. Continuez à remuer jusqu'à ébullition. Ajoutez alors les paupiettes, salez, poivrez, couvrez et laissez mijoter 45 mn.

4. Coupez le pied sableux des champignons, lavez-les. Après 45 mn de cuisson des paupiettes, ajoutez les champignons dans la cocotte et laissez cuire encore 15 mn. Versez les paupiettes et leur sauce dans une barquette en aluminium. Couvrez, laissez refroidir, scellez, étiquetez et congelez.

Pour servir : mettez la barquette fermée de 12 à 15 h au réfrigérateur, puis transférez son contenu dans une cocotte, couvrez et faites chauffer de 20 à 30 mn à feu doux.

Irish stew

Pour 4 personnes. Préparation : 25 mn. Cuisson : 1 h 30. Stockage à −18° : 6 semaines

- *1,250 kg de poitrine et d'épaule d'agneau*
- *500 g d'oignons*
- *1 kg de pommes de terre*
- *1 cuil. à café de thym frais*
- *sel, poivre*

1. Coupez la viande en cubes de 4 cm de côté. Pelez et hachez les oignons. Epluchez les pommes de terre, coupez-les en rondelles, rincez-les et séchez-les dans un torchon.

2. Allumez le four, thermostat 5 (170°). Mettez la moitié des oignons au fond d'un poêlon de terre muni d'un couvercle, de 2 litres de contenance, recouvrez d'une couche de pommes de terre, salez, poivrez. Disposez les morceaux de viande, salez, poivrez, poudrez avec la moitié du thym ; recouvrez avec le reste d'oignons, salez, poivrez et terminez avec une couche de pommes de terre ; salez et poivrez à nouveau, ajoutez le reste du thym et versez 3/4 de litre d'eau. Couvrez et faites cuire au four pendant 1 h 30.

3. Laissez refroidir, remettez le couvercle, scellez celui-ci avec du ruban adhésif, enveloppez de papier d'aluminium ou glissez dans un sac en plastique bien fermé, étiquetez et congelez.

Pour servir : faites décongeler 15 h au réfrigérateur, puis ôtez le papier d'aluminium et faites réchauffer au four, thermostat 5 (170°), pendant 1 h. Servez brûlant.

★

Poulet sauté au vin rouge

Pour 4 personnes. Préparation : 20 mn. Cuisson : 1 h. Stockage à −18° : 1 mois

- *1 poulet coupé en morceaux*
- *100 g de poitrine fumée*
- *1 petit pied de céleri*
- *100 g de petits champignons de Paris*
- *3 dl de bon vin rouge*
- *3 dl de bouillon*
- *1 gros oignon*
- *1 gousse d'ail*
- *1 bouquet garni :*
  1 branche de thym,
  1 feuille de laurier,
  1 branche de cerfeuil,
  4 brins de persil
- *25 g de farine*
- *1 cuil. à café de Maïzena*
- *40 g de beurre*
- *poivre*

1. Taillez le lard en petits bâtonnets. Pelez l'oignon, coupez-le en rondelles. Pelez l'ail, hachez-le. Lavez le céleri et coupez-le en petits tronçons. Coupez la partie sableuse du pied des champignons, lavez ceux-ci à l'eau vinaigrée, rincez-les, laissez-les entiers s'ils sont très petits ou coupez-les en quatre.

2. Faites fondre 25 g de beurre dans une cocotte et faites dorer les morceaux de poulet de tous côtés, à feu vif, puis ajoutez les lardons, le céleri, l'ail et l'oignon, réduisez le feu et faites dorer de 6 à 7 mn, en remuant de temps à autre. Saupoudrez de farine, remuez 2 mn, puis arrosez peu à peu avec le bouillon en remuant sans cesse. Délayez la Maïzena dans le vin, versez dans la cocotte et mélangez bien. Ajoutez le bouquet garni, poivrez, portez à ébullition en remuant, puis couvrez, réduisez le feu et laissez mijoter très doucement pendant 45 mn.

3. Pendant ce temps, faites fondre le reste du beurre dans une petite poêle, faites-y sauter les champignons pendant 5 à 7 mn, puis ajoutez-les dans la cocotte 5 mn avant la fin de la cuisson.

4. Transférez le poulet et sa sauce dans 1 ou 2 barquettes d'aluminium, couvrez, laissez refroidir, scellez, étiquetez et congelez.

Pour servir : mettez la ou les barquettes de 12 à 15 h au réfrigérateur, puis versez leur contenu dans une cocotte, salez, couvrez et faites chauffer de 35 à 40 mn.

35

Dindonneau au blanc

Pour 4 personnes. Préparation et cuisson : 1 h 30. Stockage à −18° : 1 mois

- *4 cuisses de dindonneau*
- *200 g de champignons*
- *1 gros oignon*
- *2 cuil. à café de cerfeuil haché*
- *1/2 cuil. à café d'estragon haché*
- *5 dl de bouillon de poule*
- *1 dl de vin blanc sec*
- *2 jaunes d'œufs*
- *1 dl de crème épaisse*
- *50 g de beurre*
- *25 g de farine*
- *1 cuil. à café de Maïzena*
- *1 clou de girofle*
- *sel, poivre*

1. Coupez le pied sableux des champignons, lavez-les, hachez-en la moitié. Pelez l'oignon et hachez-le. Mettez les champignons hachés, le bouillon, les herbes et l'oignon hachés dans une casserole, poivrez, portez à ébullition, couvrez et laissez cuire 30 mn.

2. Faites fondre 25 g de beurre dans une cocotte. Faites-y dorer les cuisses de dindonneau à feu vif ; égouttez-les. Allumez le four, thermostat 5 (170°). Faites fondre le reste du beurre dans la cocotte ; ajoutez la farine, remuez, arrosez avec le bouillon aux champignons, en remuant toujours. Délayez la Maïzena dans un peu d'eau, ajoutez-la à la sauce ainsi que le vin et le clou de girofle, assaisonnez, remuez jusqu'à épaississement. Ajoutez alors la volaille et les champignons entiers, couvrez et faites cuire au four 45 mn.

3. Lorsque la cuisson est achevée, laissez tiédir, égouttez la volaille ; battez les jaunes d'œufs avec la crème, versez dans la sauce, mélangez. Mettez les cuisses de dindonneau dans une barquette large en aluminium et nappez-les avec la sauce. Laissez refroidir, couvrez, scellez, étiquetez et congelez.

Pour servir : mettez la barquette fermée 15 h au réfrigérateur, puis placez-la, toujours fermée, au bain-marie et au four, thermostat 6 (200°), pendant 35 à 40 mn. Disposez son contenu dans un plat de service, râpez un peu de noix muscade et servez.

Risotto au poulet

Pour 4 personnes. Préparation : 10 mn. Cuisson : 30 mn. Stockage à −18° : 3 semaines

- *250 g de poulet cuit*
- *100 g de riz long*
- *2 gros oignons*
- *3 tomates bien mûres*
- *250 g de petits pois*
- *4 saucisses de Francfort*
- *5 dl de bouillon de poule*
- *2 branches de thym*
- *1 feuille de laurier*
- *2 cuil. à soupe d'huile d'arachide*
- *poivre*

1. Pelez les oignons, hachez-les. Ebouillantez les tomates, pelez-les et écrasez-les. Ecossez les petits pois. Faites cuire les saucisses 5 mn à l'eau bouillante. Faites chauffer le bouillon. Coupez le poulet en dés. Coupez les saucisses en tronçons.

2. Faites chauffer l'huile dans une cocotte ; jetez-y le riz, remuez-le à la spatule de bois jusqu'à ce qu'il soit translucide. Ajoutez alors les oignons ; remuez encore 2 mn, puis ajoutez les tomates et les petits pois, le thym et le laurier. Arrosez avec le bouillon, poivrez, réduisez le feu, couvrez et laissez mijoter environ 25 mn.

3. Lorsque le riz est cuit, ajoutez poulet et saucisse, mélangez, versez dans une barquette en aluminium, couvrez, laissez refroidir. Scellez, étiquetez et congelez.

Pour servir : mettez la barquette fermée 10 h au réfrigérateur, puis transférez son contenu dans une poêle et faites réchauffer pendant 15 à 20 mn. Salez bien et servez.

Poulet à la piémontaise

Pour 4 personnes. Préparation et cuisson : 1 h 30. Stockage à −18° : 1 mois

- *1 poulet*
- *100 g de lard fumé*
- *1,5 dl de bon vin rouge*
- *1,5 dl de bouillon*
- *1 oignon*
- *1 gousse d'ail*
- *25 g de farine*
- *1 cuil. à café de Maïzena*
- *25 g de beurre*
- *1/2 cuil. à café de thym frais*
- *1/4 de cuil. à café d'origan*
- *poivre*

1. Pelez l'ail et l'oignon, hachez-les. Taillez le lard en petits bâtonnets. Allumez le four, thermostat 5 1/2 (180°). Coupez le poulet en morceaux.

2. Faites fondre le beurre dans une cocotte et faites-y revenir les morceaux de poulet, de tous côtés, à feu assez vif. Lorsqu'ils sont bien dorés, égouttez-les, mettez à leur place les lardons, l'ail et l'oignon, réduisez le feu, mélangez 2 mn, puis saupoudrez de farine, faites cuire encore 2 mn en remuant à la spatule de bois, puis délayez peu à peu avec le bouillon, sans cesser de remuer. Délayez la Maïzena dans le vin, versez dans la cocotte, mélangez 2 mn, puis ajoutez le thym, l'origan, du poivre, puis les morceaux de poulet. Couvrez et faites cuire au four pendant 1 h.

3. Transférez le poulet et la sauce dans 1 ou 2 barquettes, couvrez, laissez refroidir, scellez, étiquetez et congelez.

Pour servir : mettez la ou les barquettes fermées 15 h au réfrigérateur, puis faites réchauffer les barquettes toujours fermées au four, thermostat 7 (230°), pendant 30 mn environ, au bain-marie. Disposez le poulet dans un plat de service. Servez chaud.

Poulet au paprika

Pour 4 personnes. Préparation : 15 mn. Cuisson : 1 h 50. Stockage à −18° : 1 mois

- *1 poulet de 1,2 kg, vidé, avec les abattis à part*
- *6 tomates*
- *3 dl de cidre sec*
- *1 oignon*
- *1 gousse d'ail*
- *25 g de beurre*
- *25 g de farine*
- *1/2 cuil. à café de Maïzena*
- *3 cuil. à café de paprika*
- *1 feuille de laurier*
- *poivre*

1. Allumez le four, thermostat 5 1/2 (180°). Placez le poulet et les abattis dans une cocotte, arrosez avec le cidre, poivrez, couvrez et mettez au four pendant 1 h 30.

2. Ebouillantez les tomates, pelez-les, coupez-les en quatre et ôtez les graines. Epluchez l'ail et coupez la gousse en deux. Epluchez et hachez l'oignon.

3. Lorsque le poulet est cuit, égouttez-le. Laissez le bouillon tiédir et dégraissez-le.

4. Faites fondre le beurre dans une casserole, faites-y blondir l'oignon, puis jetez le paprika et la farine en pluie et faites cuire 1 mn en remuant. Délayez la Maïzena dans le bouillon de cuisson du poulet, versez peu à peu dans la casserole, sans cesser de remuer, ajoutez les tomates, l'ail et le laurier et laissez mijoter 15 mn sans couvrir.

5. Découpez le poulet, rangez-le dans 2 barquettes en aluminium et nappez-le de sauce. Couvrez, laissez refroidir, scellez, étiquetez et congelez.

Pour servir : mettez les barquettes fermées de 12 à 15 h au réfrigérateur, puis placez-les au four, au bain-marie, pendant 30 mn environ, thermostat 7 (230°). Ouvrez alors les barquettes, disposez leur contenu dans un plat de service, salez et servez.

Pie au poulet

Pour 4-5 personnes. Préparation : 25 mn. Repos de la pâte : 2 h. Cuisson : 35 mn. Stockage à −18° : 2 semaines

- *400 g de poulet cuit*
- *250 g de petits pois frais*
- *6 carottes nouvelles*
- *3 navets nouveaux*
- *10 champignons*
- *3 dl de bouillon*
- *1 dl de lait homogénéisé*
- *1,5 dl de crème fraîche*
- *25 g de farine*
- *1 cuil. à café
  de Maïzena*
- *1 bouquet garni :
  thym, laurier, persil*
- *sel, poivre*

Pour la pâte :
- *150 g de farine*
- *75 g de beurre*
- *sel*

1. Préparez la pâte selon les indications données page 25. Laissez reposer 2 h.

2. Ecossez les petits pois. Grattez et rincez les carottes et les navets. Coupez-les en bâtonnets. Coupez le pied sableux des champignons, lavez-les et hachez-les menu ; mettez-les dans une casserole avec le bouillon, le bouquet garni et les autres légumes. Couvrez et laissez cuire 30 mn à feu moyen. Coupez le poulet en dés.

3. Aplatissez la pâte au rouleau sur 5 mm d'épaisseur, en un cercle ou une forme s'adaptant à l'ouverture du plat à pie. Fouettez la farine et la Maïzena dans un bol avec le lait froid, puis incorporez peu à peu ce mélange aux légumes ; mélangez pendant 5 mn, puis retirez du feu. Otez le bouquet garni. Ajoutez la crème fraîche, mélangez, salez, poivrez et ajoutez les dés de poulet. Versez la préparation dans le plat, couvrez avec la pâte en appuyant bien sur le bord. Utilisez les chutes de pâte pour décorer.

4. Faites congeler à découvert, puis couvrez de papier d'aluminium, glissez le pie dans un sac en plastique, scellez, étiquetez et stockez.

Pour servir : ôtez le papier d'aluminium, placez le pie au réfrigérateur pendant au moins 15 h, puis badigeonnez la pâte de lait, saupoudrez de chapelure et mettez au four, thermostat 6 (200°), pendant 30 mn environ, jusqu'à ce que la pâte soit dorée.

Pigeons à la marjolaine

Pour 4 personnes. Préparation et cuisson : 1 h 15. Stockage à −18° : 1 mois

- *4 demi-pigeons*
- *50 g de beurre*
- *6 oignons*
- *6 dl de bouillon de poule*
- *30 g de farine*
- *1 cuil. à café de Maïzena*
- *1 cuil. à soupe de concentré de tomate*
- *marjolaine*
- *1 clou de girofle*
- *4 baies de genièvre*

1. Pelez et hachez les oignons. Faites fondre le beurre dans une cocotte et faites-y dorer les pigeons ; égouttez-les. Faites dorer les oignons et les foies des pigeons dans la cocotte. Saupoudrez de farine, mélangez, arrosez avec le bouillon. Délayez la Maïzena dans un peu d'eau, ajoutez-la et remuez jusqu'à ce que la sauce épaississe. Ajoutez alors le concentré de tomate, 1 cuillerée à café de marjolaine, le clou de girofle et le genièvre. Remettez les pigeons dans la cocotte, couvrez et laissez mijoter 50 mn.

2. Disposez les pigeons et leur sauce dans 2 barquettes en aluminium, couvrez, laissez refroidir, scellez, étiquetez et congelez.

Pour servir : placez les barquettes fermées au bain-marie et au four, thermostat 6 (200°), pendant 40 à 50 mn, salez, poivrez, ajoutez un peu de marjolaine.

Poulet aux olives

Pour 4 personnes. Préparation et cuisson : 1 h 45. Stockage à −18° : 1 mois

- *1 poulet en morceaux*
- *100 g de lardons*
- *12 petits oignons blancs*
- *1,5 dl de vin blanc sec*
- *25 g de beurre*
- *20 g de farine*
- *1 cuil. à café de Maïzena*
- *poivre*

Pour servir :
- *12 olives farcies*

1. Allumez le four, thermostat 5 (170°). Epluchez les oignons. Faites fondre le beurre dans une poêle et faites-y dorer le poulet, égouttez-le et mettez-le dans une cocotte. Faites dorer les lardons et les oignons dans la poêle ; ajoutez-les dans la cocotte.

2. Versez la farine dans la poêle, remuez pendant 2 mn à la spatule de bois, puis arrosez peu à peu avec le vin blanc. Délayez la Maïzena dans 1 dl d'eau, versez-la dans la poêle, mélangez pendant 1 mn, poivrez, puis versez cette sauce sur le poulet, dans la cocotte. Couvrez et faites cuire au four pendant 1 h 15. Versez le poulet dans une barquette en aluminium, laissez refroidir, couvrez, scellez, étiquetez et congelez.

Pour servir : mettez la barquette fermée 15 h au réfrigérateur, puis placez-la au bain-marie et au four, thermostat 6 (200°), pendant 40 mn. Salez, ajoutez les olives farcies coupées en rondelles dans la sauce, servez chaud avec des petits croûtons frits.

Faisan à la campagnarde

Pour 4 personnes. Préparation et cuisson : 2 h 30. Stockage à −18° : 1 mois

- *2 jeunes faisans, vidés, bridés*
- *100 g de lard de poitrine fumé*
- *de 15 à 20 petits oignons blancs*
- *3 dl de bon vin rouge (bordeaux)*
- *3 dl de bouillon de volaille*
- *25 g de beurre*
- *2 cuil. à soupe d'huile d'arachide*
- *40 g de farine*
- *1 cuil. à café de Maïzena*
- *1/2 cuil. à café de thym frais*
- *5 baies de genièvre*
- *poivre*

1. Taillez le lard en bâtonnets. Pelez les oignons. Faites chauffer le beurre et l'huile dans une cocotte large, à feu moyen. Faites-y dorer les faisans de tous côtés, puis égouttez-les. Faites ensuite revenir les lardons, puis ajoutez-les aux faisans.

2. Réduisez le feu, saupoudrez la cocotte de farine et faites cuire 2 mn, en remuant avec une spatule de bois, puis arrosez peu à peu avec le bouillon en remuant sans cesse. Délayez la Maïzena dans le vin, versez dans la cocotte, remuez 2 mn encore, puis ajoutez le thym et le genièvre ; poivrez, mélangez et remettez les faisans et les lardons. Couvrez et laissez mijoter 1 h 30. Ajoutez alors les oignons et laissez cuire encore 30 mn.

3. Lorsque la cuisson est achevée, égouttez les faisans et découpez-les avec soin.

4. Répartissez les morceaux de faisans dans 2 barquettes, nappez-les de sauce. Couvrez et laissez refroidir, puis scellez, étiquetez et congelez.

Pour servir : mettez les barquettes fermées 15 h au réfrigérateur, puis, sans les ouvrir, placez-les au bain-marie pendant 30 mn. Disposez les faisans et la sauce sur un plat de service, salez bien, décorez de petits bouquets de persil et servez très chaud.

★

Poulet au cidre et aux champignons

Pour 4 personnes. Préparation : 15 mn. Cuisson : 1 h 40. Stockage à −18° : 1 mois

- *1 poulet de 1,2 kg, vidé, avec les abattis à part*
- *3 dl de cidre*
- *200 g de champignons de Paris*
- *2 oignons*
- *1/2 litre de lait homogénéisé*
- *50 g de beurre*
- *40 g de farine*
- *1 petit bouquet garni : thym, persil, laurier*
- *1 cuil. à café de Maïzena*
- *poivre*

1. Allumez le four, thermostat 5 1/2 (180°). Pelez et hachez les oignons. Coupez la partie sableuse du pied des champignons, lavez-les et coupez-les en quatre. Mettez le poulet et ses abattis dans une cocotte avec les oignons, le bouquet garni et une pincée de poivre ; arrosez avec le cidre, couvrez et mettez au four pendant 1 h 30.

2. Lorsque la cuisson est achevée, égouttez le poulet, passez le jus de cuisson au chinois, dégraissez-le à l'aide d'une petite louche, puis ajoutez-y le lait.

3. Faites fondre le beurre dans une casserole, ajoutez la farine, remuez 2 mn à la spatule de bois, puis arrosez peu à peu avec le bouillon au lait, sans cesser de remuer. Délayez la Maïzena dans 2 cuillerées à soupe d'eau, ajoutez-la, mélangez encore pendant 1 mn, puis ajoutez les champignons. Laissez cuire 5 mn. Découpez le poulet.

4. Rangez les morceaux de poulet dans une grande barquette en aluminium et laissez refroidir ; couvrez, scellez, étiquetez et congelez.

Pour servir : mettez la barquette fermée 15 h au réfrigérateur, puis placez-la au bain-marie et au four, thermostat 6 (200°), pendant 40 mn. Salez et servez avec du riz créole.

Crêpes farcies au haddock

Pour 4 personnes. Préparation et cuisson : 30 mn. Stockage à −18° : 3 semaines

- *8 crêpes (p. 30 : « Crêpes farcies à la texane »)*
- *200 g de filets de haddock fumé*
- *1/2 litre de lait homogénéisé*
- *25 g de beurre*
- *20 g de farine*
- *1 cuil. à café de Maïzena*
- *sel, poivre*

1. Placez les filets de haddock dans une casserole, ajoutez le lait et faites cuire à feu doux, pendant environ 15 mn, jusqu'à ce que la chair se défasse facilement. Egouttez alors le poisson en conservant le lait, ôtez éventuellement la peau et les arêtes, hachez finement la chair ou passez-la au mixer en mouillant avec un peu de lait.

2. Délayez la Maïzena avec 2 cuillerées à soupe d'eau. Faites fondre le beurre dans une casserole ; ajoutez la farine, remuez vivement pendant 3 mn. Arrosez peu à peu avec le lait mis de côté, en remuant sans cesse, ajoutez la Maïzena et mélangez jusqu'à épaississement. Ajoutez alors la purée de haddock. Poivrez, salez légèrement.

3. Farcissez les crêpes de cette préparation, repliez les bords et roulez les crêpes. Enveloppez chaque crêpe encore tiède dans du papier d'aluminium. Laissez refroidir et congelez séparément, puis regroupez les crêpes dans un sac en plastique, scellez, étiquetez et stockez.

Pour servir : mettez les crêpes encore emballées au réfrigérateur pendant 10 h, puis retirez le papier d'aluminium, rangez les crêpes dans un plat et faites-les dorer au four, thermostat 8 (250°), en les arrosant de beurre fondu. Servez avec des légumes verts.

 ★

Gratin de poisson familial

Pour 4-5 personnes. Préparation et cuisson : 35 mn. Stockage à −18° : 3 semaines

- *500 g de cabillaud*
- *500 g de purée*
  de pommes de terre
- *250 g de petits pois*
  frais écossés
- *6,5 dl de lait*
  homogénéisé
- *50 g de beurre*
- *2 œufs + 1 jaune*
- *3 cuil. à soupe d'huile*
- *30 g de farine*
- *1 cuil. à café*
  de Maïzena
- *sel, poivre,*
  noix muscade

1. Faites durcir 2 œufs. Faites chauffer 5 dl de lait avec les petits pois, salez, poivrez, laissez frémir 5 mn sur feu doux, puis faites-y pocher le poisson pendant 15 mn.

2. Egouttez le cabillaud. Faites fondre 25 g de beurre dans une casserole, ajoutez la farine, remuez 2 mn, arrosez avec le lait et les petits pois en remuant toujours. Délayez la Maïzena dans un peu d'eau, ajoutez-la, mélangez encore 2 mn, puis retirez du feu.

3. Ajoutez 1,5 dl de lait et 25 g de beurre à la purée. Otez la peau et les arêtes du poisson, écrasez-le à la fourchette et ajoutez-le à la sauce Béchamel et aux petits pois. Ecalez les œufs et hachez-les. Versez doucement l'huile sur le jaune d'œuf, en battant. Ajoutez cette mayonnaise au poisson, ainsi que les œufs hachés. Salez, poivrez, râpez un peu de noix muscade, mélangez.

4. Versez la sauce au poisson au centre d'une grande barquette en aluminium, entourez avec la purée. Laissez refroidir, couvrez, scellez, étiquetez et congelez.

Pour servir : mettez la barquette fermée 15 h au réfrigérateur, puis ouvrez-la et faites gratiner 40 mn au four, thermostat 7 (230°). Décorez de tomate et de persil.

 ★★

Croquettes de saumon

Pour 4 personnes. Préparation : 15 mn. Cuisson : 20 mn. Stockage à −18° : 1 mois

- *200 g de saumon frais*
- *350 g de purée*
  de pommes de terre
- *2 œufs*
- *2 rondelles de citron*
- *1/2 oignon*
- *1 feuille de laurier*
- *1 cuil. à soupe*
  de cerfeuil et de persil
  hachés
- *50 g de chapelure*
- *sel, poivre*

1. Défaites l'oignon en anneaux ; mettez-les dans une casserole avec le citron, le laurier et 1/2 litre d'eau. Faites frémir, ajoutez le saumon et laissez cuire à feu doux pendant 15 mn. Egouttez alors le poisson, ôtez la peau et les arêtes.

2. Passez le poisson au mixer avec la purée, en mouillant avec un peu de court-bouillon. Incorporez-y 1 œuf, les herbes hachées, du sel et du poivre. Façonnez un gros boudin et coupez-le en tranches de 1,5 cm d'épaisseur. Battez le second œuf dans une assiette. Passez chaque croquette dans l'œuf battu, puis dans la chapelure.

3. Posez les croquettes sur un plateau recouvert de papier d'aluminium et faites congeler à découvert. Placez ensuite les croquettes dans une barquette en posant du papier d'aluminium entre chaque couche. Couvrez, scellez, étiquetez et stockez.

Pour servir : faites dorer les croquettes avec 50 g de beurre, 5 mn de chaque côté.

Gratin de cabillaud au raisin

Pour 4 personnes. Préparation et cuisson : 1 h. Stockage à −18° : 1 mois

- *200 g de raisin blanc à gros grains*
- *500 g de tranches ou de filets de cabillaud*
- *2 dl de lait homogénéisé*
- *2 cuil. à soupe de lait concentré non sucré*
- *2 cuil. à soupe de crème fraîche épaisse*
- *400 g de pommes de terre*
- *1 œuf*
- *sel, poivre, noix muscade*

Pour servir :
- *20 g de beurre*
- *50 g de gruyère râpé*

1. Epluchez les pommes de terre, lavez-les, coupez-les en morceaux, mettez-les à cuire dans 2 litres d'eau bouillante salée pendant 30 mn. Poivrez le poisson, mettez-le dans une sauteuse avec le lait et faites-le pocher (cuire) à feu doux dans le liquide frémissant pendant 15 à 20 mn, jusqu'à ce que la chair se détache facilement. Egouttez le poisson avec une écumoire, réservez le lait.

2. Otez éventuellement la peau et les arêtes du poisson, puis écrasez la chair à la fourchette ; ajoutez 2 cuillerées à soupe de lait de cuisson et la crème fraîche. Salez, poivrez, râpez un peu de noix muscade. Lavez le raisin, égouttez-le, égrenez-le, coupez les grains de raisin en deux et enlevez les pépins. Egouttez les pommes de terre et réduisez-les en purée. Battez l'œuf à la fourchette, incorporez-le à la purée ainsi que le lait concentré, du sel et du poivre.

3. Allumez le four, thermostat 5 (170°). Beurrez légèrement une barquette profonde en aluminium ; mettez les grains de raisin épépinés dans le fond, recouvrez ceux-ci avec la purée de poisson à la crème. Etalez la purée de pommes de terre, en couche épaisse, sur le poisson. Tracez des dessins sur la purée avec une fourchette. Couvrez la barquette et mettez au four pendant 20 mn.

4. Laissez refroidir, couvrez la barquette, scellez, étiquetez et congelez.

Pour servir : mettez la barquette fermée 12 h au réfrigérateur, puis enlevez le couvercle, parsemez de petits morceaux de beurre et de gruyère râpé. Faites gratiner au four, thermostat 6 (200°), pendant 20 à 25 mn.

Saumon frais sauce hollandaise

Pour 4 personnes. Préparation et cuisson : 30 mn. Stockage à −18° : 1 mois

- *4 belles darnes de saumon*
- *1 dl de vin blanc sec*
- *1 oignon*
- *2 rondelles de citron*
- *1 branchette de thym*
- *2 feuilles de laurier*

Pour servir (sauce hollandaise) :
- *2 jaunes d'œufs*
- *100 g de beurre ramolli*
- *3 cuil. à soupe de vinaigre de vin*
- *6 grains de poivre*
- *1 feuille de laurier*
- *sel, noix muscade*

1. Allumez le four, thermostat 5 (170°). Epluchez l'oignon et coupez-le en rondelles. Mettez les tranches de poisson dans une cocotte, avec l'oignon, le citron, le thym et le laurier. Arrosez avec le vin blanc et 1 litre d'eau. Couvrez et faites cuire au four pendant 20 mn. Le poisson doit rester ferme pour congeler convenablement. Egouttez le poisson, passez le court-bouillon au chinois.

2. Placez les darnes de saumon dans une barquette en aluminium, arrosez-les avec 1 dl de court-bouillon, couvrez, laissez refroidir. Scellez, étiquetez et congelez.

Pour servir : placez la barquette fermée au four, thermostat 5 1/2 (180°), pendant 25 à 30 mn. Pendant ce temps, préparez la sauce :

1. Versez le vinaigre dans une petite casserole, avec les grains de poivre, le laurier et un peu de noix muscade râpée. Faites bouillir à feu moyen jusqu'à ce qu'il ne reste qu'une cuillerée à soupe de liquide. Passez celui-ci au chinois.

2. Mettez les jaunes d'œufs dans un bol avec 1 cuillerée à café de beurre ; battez-les ensemble avec une cuillère en métal, puis ajoutez le vinaigre et placez le bol au bain-marie, à feu doux. Battez à l'aide d'un petit fouet métallique, tout en ajoutant peu à peu le reste du beurre. Le mélange doit être crémeux, léger, mousseux. S'il est trop épais, ajoutez quelques gouttes de jus de citron ou de vinaigre. Salez. Sortez le poisson de la barquette à l'aide d'une écumoire, déposez-le sur un plat de service, garnissez éventuellement de pointes d'asperges vertes. Servez immédiatement.

Colin flamenco ★

Pour 4 personnes. Préparation et cuisson : 40 mn. Stockage à −18° : 1 mois

- *800 g de colin*
- *3 courgettes*
- *1 oignon*
- *2 tomates*
- *35 g de beurre*
- *1/4 de cuil. à café de sauce au piment (tabasco ou harissa)*
- *sel, poivre*

1. Lavez les courgettes, grattez-les légèrement. Otez les extrémités, coupez-les en rondelles. Pelez l'oignon et coupez-le en rondelles. Ebouillantez les tomates, pelez-les et coupez-les en morceaux. Allumez le four, thermostat 6 (200°).

2. Faites dorer les courgettes et l'oignon avec 25 g de beurre. Ajoutez les tomates et la sauce au piment. Otez la peau du colin. Coupez-le en quatre, salez et poivrez. Beurrez légèrement une barquette en aluminium, placez-y le poisson, recouvrez avec les légumes, couvrez la barquette et mettez-la 20 mn au four.

3. Laissez refroidir, scellez la barquette, étiquetez, congelez.

Pour servir : mettez la barquette fermée au bain-marie dans un plat à rôtir et faites réchauffer de 20 à 30 mn au four, thermostat 7 (230°). Disposez délicatement le contenu de la barquette dans un plat de service et arrosez de jus de citron.

Filets de haddock au naturel

Préparation : 5 mn. Stockage à −18° : 5 mois

1. Passez les filets sous l'eau froide et essuyez-les dans du papier absorbant. Emballez séparément chaque filet dans du papier d'aluminium et scellez avec du ruban adhésif.

2. Congelez, puis regroupez les filets dans des sacs en plastique. Fermez hermétiquement, étiquetez et stockez.

★

Haddock au lard fumé

Pour 4 personnes. Préparation : 5 mn. Cuisson : 25 mn

- *4 petits filets de haddock congelés ou 2 gros coupés en deux*
- *4 tranches de lard fumé*
- *25 g de beurre ramolli*
- *1,5 dl de lait*
- *poivre*

1. Décongelez les filets pendant 3 h dans un plat creux au réfrigérateur.

2. Allumez le four, thermostat 6 (200°). Badigeonnez les filets avec un peu de beurre, disposez-les dans une cocotte, parsemez-les de petits morceaux de beurre, poivrez, posez une tranche de lard sur chaque filet, arrosez de lait.

3. Couvrez et mettez au four pendant 20 à 25 mn. Répartissez un peu de persil haché sur le poisson. Servez avec des toasts et des œufs pochés.

Paupiettes de soles aux crevettes

Pour 4 personnes. Préparation et cuisson : 45 mn. Stockage à −18° : 2 semaines

- *8 filets de sole, sans peau*
- *100 g de crevettes roses « bouquets »*
- *1 rondelle de citron*
- *1 branchette de thym*
- *1 feuille de laurier*
- *1 petit oignon*
- *6 grains de poivre*
- *25 g de beurre*
- *25 g de farine*
- *1/2 cuil. à café de Maïzena*
- *1 cuil. à soupe de crème fraîche épaisse*
- *sel, noix muscade*

1. Faites cuire les bouquets dans 2 litres d'eau salée, à grande ébullition, pendant 10 mn. Egouttez-les, décortiquez-les avec soin pour ne pas briser la chair.

2. Mettez de côté la moitié des crevettes. Répartissez le reste sur les filets de sole, puis roulez ceux-ci sur eux-mêmes en emprisonnant les crevettes. Ficelez chaque paupiette avec du fil de cuisine. Mettez les paupiettes dans une cocotte, salez, ajoutez une pincée de noix muscade ; arrosez avec 3 dl d'eau. Epluchez l'oignon et coupez-le en deux ; ajoutez-le dans la cocotte ainsi que les grains de poivre, la rondelle de citron, le thym et le laurier. Couvrez et laissez pocher dans le liquide frémissant, mais non bouillant, pendant 15 mn.

3. Egouttez délicatement les paupiettes. Passez le bouillon de cuisson au chinois. Faites fondre le beurre dans une casserole, ajoutez la farine, mélangez à la spatule de bois pendant 2 mn, puis arrosez peu à peu avec le bouillon, sans cesser de remuer. Délayez la Maïzena dans 1 cuillerée à soupe d'eau froide, ajoutez-la à la sauce, mélangez encore pendant 1 mn. Ajoutez, hors du feu, le reste des bouquets et la crème fraîche.

4. Disposez les paupiettes de soles dans une barquette en aluminium, nappez-les avec la sauce à la crème. Couvrez, laissez refroidir, scellez, étiquetez et congelez.

Pour servir : placez la barquette au bain-marie dans un plat à rôtir et faites réchauffer au four, thermostat 6 (200°), de 35 à 45 mn. Disposez ensuite délicatement les paupiettes sur un plat de service, nappez-les de sauce et décorez de petits bouquets de persil.

Tourte aux pommes et aux pruneaux ★★

Pour 4 personnes. Préparation : 25 mn. Cuisson : 45 mn. Stockage à −18° : 1 mois

- *200 g de pruneaux dénoyautés*
- *500 g de pommes*
- *150 g de sucre roux*
- *50 g de beurre*
- *1 cuil. à café de cannelle en poudre*
- *1 cuil. à soupe de lait*

Pour la pâte :
- *200 g de farine*
- *100 g de beurre*
- *1 pincée de sel*

1. Préparez la pâte (voir la recette de la tarte aux abricots, page 49).

2. Pelez les pommes, coupez-les en lamelles. Faites cuire pommes et pruneaux 25 mn avec 40 g de beurre, 125 g de sucre et la cannelle. Allumez le four, thermostat 7 (230°).

3. Beurrez un moule à tarte en aluminium de 20 cm de diamètre. Aplatissez la pâte sur 8 mm d'épaisseur. Découpez-y un cercle de 22 cm de diamètre, qui servira de couvercle. Garnissez le moule avec le reste de la pâte, saupoudrez avec 10 g de sucre, recouvrez de papier sulfurisé et de haricots secs et faites cuire 10 mn au four. Mettez la compote de fruits sur le fond de tarte, poudrez du reste de sucre, posez le couvercle de pâte, pressez tout le tour pour bien fermer, décorez avec les chutes de pâte. Badigeonnez de lait. Faites une petite fente dans le couvercle, remettez au four 10 mn. Glissez la tourte dans son moule dans un sac de plastique. Scellez, étiquetez, congelez.

Pour servir : sortez la tourte du sac, mettez-la 40 mn au four, thermostat 6 (200°).

Crêpes aux pommes et aux fruits secs

Pour 4 personnes. Préparation : 15 mn. Cuisson : 20 mn. Stockage à −18° : 1 mois

- 8 crêpes (voir ci-dessous)
- 450 g de pommes
- 180 g de fruits secs
- 100 g de sucre roux
- 50 g de beurre
- 1/4 de cuil. à café d'extrait de vanille
- 1/4 de cuil. à café de cannelle
- 1 citron non traité

1. Pelez les pommes, enlevez les cœurs et les pépins, coupez-les en lamelles. Faites-les cuire avec le sucre, le beurre, la cannelle et la vanille, pendant 20 mn.

2. Hachez grossièrement les plus gros fruits secs (noix, amandes, noisettes). Lavez et épongez le citron, râpez 1/2 cuillerée à café de zeste, pressez la moitié du citron. Ajoutez les fruits secs, le jus de citron et le zeste aux pommes et laissez tiédir.

3. Tartinez ensuite les crêpes avec la préparation aux fruits et roulez-les. Disposez-les dans une barquette d'aluminium, couvrez, scellez, étiquetez et congelez.

Pour servir : faites décongeler 4 h à température ambiante, puis sortez les crêpes de leur emballage, mettez-les dans un plat à gratin, arrosez-les de 40 g de beurre fondu et faites-les dorer 15 mn au four, thermostat 7 (230°). Servez avec de la crème fleurette.

Tarte aux abricots et aux amandes

Pour 4 personnes. Préparation : 25 mn. Cuisson : 40 mn. Stockage à −18° : 1 mois

- 500 g d'abricots au sirop
- 80 g d'amandes en poudre
- 80 g de beurre
- 2 jaunes d'œufs
- 80 g de sucre
- 1 cuil. à soupe de Maïzena

Pour la pâte :
- 100 g de farine
- 50 g de beurre
- 1 pincée de sel

1. Préparez la pâte : tamisez la farine dans un saladier, ajoutez le sel et le beurre coupé en petits morceaux, travaillez rapidement du bout des doigts, ajoutez 1 ou 2 cuillerées à soupe d'eau et roulez la pâte en boule.

2. Egouttez soigneusement les abricots. Mélangez le beurre et le sucre, ajoutez les jaunes d'œufs, la Maïzena et les amandes en poudre. Allumez le four, thermostat 6 (200°).

3. Aplatissez la pâte et garnissez-en un moule à tarte en aluminium de 18 cm de diamètre. Disposez une couche de fruits sur la pâte ; couvrez cette couche d'abricots avec la moitié de la préparation aux amandes. Disposez par-dessus une nouvelle couche d'abricots, recouvrez avec le reste de la préparation aux amandes. Mettez au four 30 mn, puis réduisez à thermostat 5 (170°) et faites cuire encore 10 mn. Laissez tiédir.

4. Enveloppez la tarte dans du papier d'aluminium, scellez, étiquetez et congelez.

Pour servir : faites décongeler en 5 ou 6 h à température ambiante (20° environ) et poudrez d'un peu de cannelle et de sucre cristallisé.

Crêpes délices à l'orange

Pour 4 personnes. Préparation et cuisson : 40 mn. Repos de la pâte : 1 h. Stockage à −18° : 6 semaines

Pour 8 crêpes :
- 100 g de farine
- 1 œuf
- 3 dl de lait
- 25 g de beurre
- 1 cuil. à soupe d'huile d'arachide
- sel

Pour la garniture :
- 150 g de beurre
- 1 orange non traitée
- 200 g de sucre glace

Facultatif :
- 1 cuil. à café de curaçao

1. Tamisez la farine dans un saladier. Ajoutez l'œuf, l'huile et un peu de lait, salez légèrement. Travaillez à la spatule de bois en incorporant peu à peu le reste du lait, jusqu'à ce que la pâte soit lisse. Laissez reposer 1 h.

2. Après 1 h de repos de la pâte, faites cuire les crêpes : faites fondre 25 g de beurre dans une poêle de 20 cm de diamètre, puis versez-le dans un bol. Versez la pâte avec une petite louche et étalez-la en inclinant la poêle. Lorsque la crêpe se détache de la poêle, retournez-la et faites-la cuire de l'autre côté. Graissez la poêle avec un peu de beurre fondu entre chaque crêpe.

3. Lavez l'orange, essuyez-la et râpez son zeste, puis pressez-la. Mélangez le sucre glace avec le jus et le zeste de l'orange et, éventuellement, quelques gouttes de curaçao. Faites ramollir le beurre au bain-marie et incorporez-le au mélange précédent en travaillant à la cuillère de bois. Tartinez les crêpes de cette préparation, pliez-les en quatre.

4. Déposez les crêpes fourrées dans une barquette en aluminium, couvrez, scellez, étiquetez, congelez.

Pour servir : faites décongeler à température ambiante pendant 4 h. Mettez les crêpes dans un plat à gratin, arrosez-les de 40 g de beurre fondu et faites-les gratiner 10 mn au four, thermostat 7 (230°). Servez brûlant avec des rondelles d'orange.

Mousse de groseilles et de framboises

Pour 4 personnes. Préparation et cuisson : 20 mn. Stockage à −18° : 1 mois

- *250 g de groseilles égrenées*
- *250 g de framboises*
- *100 g de sucre semoule*
- *3 feuilles de gélatine*
- *3 cuil. à soupe de jus d'orange*
- *1,5 dl de crème fraîche épaisse*
- *3 blancs d'œufs*

1. Faites ramollir la gélatine dans une terrine d'eau froide. Lavez et épongez les groseilles. Mettez le sucre dans une casserole avec 3 dl d'eau et faites chauffer à feu doux, en remuant jusqu'à dissolution complète du sucre. Ajoutez les fruits et faites-les cuire quelques minutes, jusqu'à ce qu'ils commencent à rendre leur jus. Passez-les au tamis pour les réduire en purée. Egouttez la gélatine, mettez-la dans une casserole avec le jus d'orange et laissez tiédir à feu très doux jusqu'à ce que la gélatine soit complètement dissoute, puis incorporez-la à la purée de fruits.

2. Fouettez la crème fraîche jusqu'à ce qu'elle ait doublé de volume. Mélangez la crème fouettée à la purée de fruits. Battez les blancs en neige très ferme et incorporez-les délicatement au mélange précédent.

3. Versez la mousse dans un plat en verre trempé ou en céramique, couvrez de papier d'aluminium, scellez, étiquetez et congelez.

Pour servir : laissez 12 h au réfrigérateur. Au moment de servir, décorez éventuellement de crème fouettée et de groseilles fraîches.

Poires au jus de framboise

Pour 6 personnes. Préparation et cuisson : 30 mn. Stockage à −18° : 3 mois

- *6 poires william ou passe-crassane, fermes et juteuses*
- *250 g de framboises*
- *180 g de sucre cristallisé*

1. Mettez le sucre dans une casserole à fond épais avec 6 dl d'eau et faites chauffer à feu doux, en remuant jusqu'à ce que le sucre ait complètement fondu. Pelez les poires et plongez-les dans le sirop frémissant, laissez-les cuire de 10 à 15 mn. Egouttez alors les poires et déposez-les avec précaution dans une barquette en aluminium.

2. Passez les framboises au mixer, ajoutez 4 dl du sirop de cuisson des poires, mélangez et versez sur les poires.

3. Couvrez, scellez, étiquetez et congelez.

Pour servir : laissez 15 h au réfrigérateur, disposez les poires dans un plat de service et nappez-les de leur sirop. Servez avec de la crème fouettée.

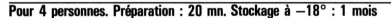

Mousse au citron ★

Pour 4 personnes. Préparation : 20 mn. Stockage à −18° : 1 mois

- *2 gros citrons non traités*
- *4 œufs*
- *100 g de sucre semoule*
- *3 feuilles de gélatine*

1. Placez la gélatine dans une terrine d'eau froide et laissez-la ramollir. Cassez les œufs en séparant les blancs des jaunes. Battez les jaunes dans une terrine avec le sucre jusqu'à ce qu'ils soient lisses et crémeux. Râpez le zeste d'un des citrons. Pressez les deux citrons, faites tiédir le jus obtenu. Egouttez la gélatine et faites-la dissoudre dans le jus de citron tiède, puis ajoutez-la aux jaunes d'œufs, ainsi que le zeste râpé. Mélangez.

2. Battez les blancs d'œufs en neige très ferme et incorporez-les délicatement au mélange contenu dans la terrine.

3. Versez la préparation dans un plat en verre trempé ou en céramique, couvrez de papier d'aluminium, scellez, étiquetez et congelez.

Pour servir : mettez 15 h au réfrigérateur ou 4 h à température ambiante.

 ★

Folie aux fraises

Pour 4-6 personnes. Préparation : 10 mn. Stockage à −18° : 1 mois

- *500 g de fraises*
- *3 dl de crème fraîche épaisse*
- *80 g de sucre semoule*
- *2 cuil. à soupe de Cointreau*

1. Lavez rapidement les fraises à l'eau fraîche. Epongez-les. Enlevez les queues. Passez 450 g de fraises au tamis ou au mixer. Battez la crème fraîche jusqu'à ce qu'elle soit bien épaisse, puis incorporez le sucre, la purée de fraises et le Cointreau.

2. Versez la préparation dans des ramequins en céramique solide, décorez avec les fraises mises de côté. Couvrez chaque ramequin de papier d'aluminium, scellez, étiquetez et congelez.

Pour servir : mettez 2 ou 3 h au réfrigérateur et servez avec des tuiles (p. 67).

Mousse aux mûres

Pour 4 personnes. Préparation et cuisson : 20 mn. Stockage à −18° : 3 semaines

- *500 g de mûres*
- *120 g de sucre semoule*
- *2 cuil. à soupe de jus de citron*
- *3 feuilles de gélatine*
- *1,5 dl de crème fraîche épaisse*
- *3 blancs d'œufs*

1. Laissez ramollir la gélatine dans une terrine d'eau froide. Lavez les mûres, égouttez-les et mettez-les dans une casserole avec le sucre. Faites chauffer à feu doux et laissez cuire jusqu'à ce que les fruits commencent à rendre leur jus (8 mn environ). Passez les mûres au mixer. Faites tiédir le jus de citron. Egouttez la gélatine, ajoutez-la au jus de citron, remuez jusqu'à ce qu'elle soit dissoute, incorporez-la à la purée de mûres. Laissez la purée refroidir jusqu'à la limite de la gélification.

2. Fouettez la crème jusqu'à ce qu'elle ait doublé de volume et incorporez-la à la purée de mûres. Battez les blancs d'œufs en neige ferme, incorporez-les délicatement à la préparation précédente.

3. Versez la mousse dans un plat en verre trempé ou en céramique, couvrez d'une feuille d'aluminium, scellez, étiquetez et congelez.

Pour servir : laissez 15 h au réfrigérateur ou 6 h à température ambiante, puis répartissez la mousse dans des coupes et décorez éventuellement de mûres entières.

Salade de fruits frais

Pour 6-8 personnes. Préparation et cuisson : 30 mn. Stockage à —18° : 6 mois

★

- 500 g de gros raisin noir
- 500 g de belles pommes fermes et sucrées
- 1 grosse orange
- 1 pamplemousse
- 1 petit melon
- 2 pêches blanches
- 100 g de sucre semoule
- 1 cuil. à soupe de jus de citron

Pour servir :
- 2 cuil. à soupe de liqueur d'orange ou de curaçao

1. Mettez le sucre dans une casserole avec 8 cuillerées à soupe d'eau et faites-le fondre à feu doux, puis laissez refroidir et ajoutez le jus de citron.

2. Lavez le raisin à l'eau fraîche, égrenez-le. Coupez chaque grain en deux et ôtez les pépins. Lavez les pommes, épongez-les, coupez-les en quatre, enlevez les cœurs et les pépins, coupez-les en tranches fines. Pelez les pêches et coupez-les en deux. Pelez le pamplemousse à vif (en entamant la chair), divisez les quartiers, enlevez la pellicule qui les recouvre, coupez chaque quartier en deux. Pelez également l'orange à vif, puis coupez-la en rondelles minces. Coupez le melon en tranches, enlevez fibres et graines et coupez la chair en dés.

3. Mettez les fruits dans une barquette en aluminium et versez le sirop par-dessus. Couvrez, scellez, étiquetez et congelez.

Pour servir : placez 12 h au réfrigérateur. Transférez les fruits dans un saladier et ajoutez 2 cuillerées à soupe de liqueur d'orange ou de curaçao.

Gâteau au pamplemousse

Pour 4-6 personnes. Préparation et cuisson : 20 mn. Réfrigération : 30 mn. Stockage à −18° : 1 mois

- *400 g de fromage blanc frais bien égoutté*
- *1,5 dl de jus de pamplemousse*
- *3 dl de crème fraîche*
- *50 g de beurre*
- *100 g de biscuits à la cuiller*
- *80 g de sucre semoule*
- *25 g de cassonade*
- *3 feuilles de gélatine*
- *1 cuil. à café d'huile d'amande douce*

1. Mettez la gélatine dans une terrine d'eau froide et laissez-la ramollir. Faites tiédir le jus de pamplemousse. Egouttez la gélatine, ajoutez-la au jus de pamplemousse, remuez jusqu'à ce qu'elle soit dissoute. Fouettez la crème jusqu'à ce qu'elle soit ferme. Battez le fromage avec le sucre, mélangez-le à la crème et ajoutez le jus de pamplemousse.

2. Graissez un moule à tarte à bord haut de 20 cm de diamètre avec l'huile d'amande. Etalez-y la préparation au fromage blanc. Placez le moule 30 mn au réfrigérateur.

3. Ecrasez finement les biscuits au rouleau à pâtisserie. Faites juste fondre le beurre, à feu très doux, ajoutez-y les biscuits écrasés et la cassonade. Mélangez bien et laissez tiédir. Etalez cette pâte sur le gâteau au fromage, en pressant bien.

4. Couvrez de papier d'aluminium, scellez, étiquetez et congelez.

Pour servir : laissez 15 h au réfrigérateur, puis démoulez le gâteau sur un plat en le retournant. Décorez de crème fouettée et éventuellement de fraises fraîches.

Anneau au gingembre

Pour 4 personnes. Préparation : 20 mn. Repos de la pâte : 1 h. Cuisson : 10 mn. Stockage à −18° : 1 mois

- *100 g de farine*
- *60 g de beurre*
- *60 g de sucre*
- *1 petit jaune d'œuf*
- *3 cm de gingembre confit*
- *3 dl de crème fleurette*
- *1 sachet de sucre vanillé*

1. Préparez la pâte : battez le jaune d'œuf avec la moitié du sucre, ajoutez le beurre en petits morceaux et la farine. Hachez le gingembre, ajoutez-le à la pâte, travaillez-la à la main pour obtenir une grosse semoule, puis roulez-la en boule et laissez-la reposer 1 h au réfrigérateur.

2. Allumez le four, thermostat 5 (170°). Aplatissez la pâte au rouleau sur 3 ou 4 cm d'épaisseur. A l'aide d'un emporte-pièce cannelé, découpez des cercles de 5 ou 6 cm de diamètre. Rangez-les sur la plaque du four et laissez cuire 10 mn. Laissez refroidir totalement les biscuits.

3. Fouettez la crème fraîche avec le reste du sucre et le sucre vanillé, jusqu'à ce qu'elle soit bien épaisse. Mettez un cercle de papier d'aluminium dans le fond d'un moule à tarte détachable, placez au centre un petit bocal à confiture, puis, tout autour, disposez les sablés en les inclinant légèrement et en intercalant de la crème Chantilly à l'aide d'une poche à pâtisserie munie d'une douille cannelée.

4. Mettez à découvert dans le congélateur. Lorsque le gâteau est congelé, ôtez le bocal et enveloppez le gâteau avec son moule dans du papier d'aluminium, puis glissez-le dans un sachet en plastique, scellez et stockez.

Pour servir : déballez le gâteau, sortez-le du moule en le faisant glisser sur un plat et laissez de 6 à 8 h au réfrigérateur. Garnissez le centre de quartiers d'orange débarrassés de leur peau et de leurs pépins, poudrez de cassonade et laissez 1 h à température ambiante.

Gâteau rapide au citron

Pour 4 personnes. Préparation : 20 mn. Stockage à −18° : 1 mois

- *100 g de biscuits à la cuiller*
- *50 g de beurre*
- *25 g de cassonade*
- *200 g de fromage blanc*
- *2 dl de crème fraîche*
- *1 petite boîte de lait concentré sucré*
- *5 cl de jus de citron*

1. Ecrasez finement les biscuits au rouleau à pâtisserie. Faites fondre le beurre dans une petite casserole, à feu très doux, ajoutez la cassonade, puis les biscuits écrasés, mélangez bien. Versez cette pâte dans un moule à tarte à bord haut, de 18 cm de diamètre. Tassez bien et égalisez avec le dos d'une cuillère. Laissez refroidir.

2. Battez le fromage blanc avec la crème fraîche et le lait concentré. Incorporez peu à peu le jus de citron. Versez ce mélange dans le moule, sur la pâte.

3. Couvrez de papier d'aluminium, scellez, étiquetez et congelez.

Pour servir : laissez 12 h au réfrigérateur, décorez avec une rondelle de citron.

Gâteau meringué aux noisettes

Pour 8 personnes. Préparation et cuisson : 1 h 30. Stockage à −18° : 1 mois

- *100 g de noisettes*
- *4 blancs d'œufs*
- *200 g de sucre semoule*
- *1 dl de crème fraîche épaisse*
- *40 g de beurre*
- *25 g de cacao*
- *3 cuil. à soupe de lait*
- *100 g de sucre glace*
- *1 cuil. à café d'huile d'amande douce*

Pour servir :
- *sucre glace*
- *copeaux de chocolat*

1. Allumez le four, thermostat 5 (170°). Etalez les noisettes sur une tôle à pâtisserie et mettez-les au four pendant 5 mn ; ôtez alors les noisettes du four, sans éteindre ce dernier, versez-les sur un torchon propre et frottez vigoureusement : les pellicules brunes se défont. Passez les noisettes ainsi émondées au hachoir électrique. Huilez légèrement deux moules à manqué de 20 cm de diamètre et garnissez le fond de papier sulfurisé. Baissez le thermostat du four à 3 (110°).

2. Battez les blancs d'œufs en neige ferme et incorporez-y le sucre semoule, cuillerée par cuillerée, sans cesser de battre. Ajoutez également les noisettes hachées en battant toujours. Répartissez cette préparation dans les moules et mettez au four pendant 1 h.

3. Laissez les meringues refroidir dans le four, puis démoulez-les et enlevez le papier. Fouettez la crème jusqu'à ce qu'elle devienne ferme. Faites fondre le beurre dans une petite casserole, à feu très doux, incorporez-y le cacao et faites cuire en remuant pendant 1 mn. Retirez du feu et ajoutez le lait et le sucre glace. Mélangez bien. Nappez l'une des meringues avec ce mélange et nappez l'autre meringue avec la crème fouettée. Superposez les meringues, les faces nappées l'une contre l'autre.

4. Laissez congeler à découvert, puis emballez dans une grande boîte en plastique ou dans du papier d'aluminium et dans un sac en plastique scellé. Etiquetez et stockez.

Pour servir : faites glisser le gâteau sur un plat de service et laissez de 12 à 15 h au réfrigérateur. Saupoudrez de sucre glace et décorez de copeaux de chocolat.

Meringue aux framboises

Pour 6-8 personnes. Préparation : 5 mn. Cuisson : 1 h. Stockage à −18° : 2 mois

- *3 blancs d'œufs*
- *150 g de sucre semoule*

Pour servir :
- *500 g de framboises*
- *100 g de sucre*
- *3 dl de crème fraîche*

1. Allumez le four, thermostat 3 (110°). Battez les blancs d'œufs en neige ferme, incorporez-y le sucre en poudre, cuillerée par cuillerée, sans cesser de battre. Tracez un cercle de 20 cm de diamètre sur une feuille de papier sulfurisé, placez cette feuille sur une tôle à pâtisserie et étalez la meringue sur toute la surface du cercle. Mettez au four pendant 1 h, puis laissez complètement refroidir dans le four.

2. Enveloppez la meringue dans du papier d'aluminium, puis glissez-la avec précaution dans un carton à tarte de pâtissier, glissez le carton dans un sac en plastique, scellez, étiquetez et congelez.

Pour servir : posez la meringue sur un plat de service. Fouettez 3 dl de crème fraîche. Ecrasez 250 g de framboises en purée, avec 80 g de sucre, et incorporez-les à la crème fouettée. Déposez ce mélange au centre de la meringue et surmontez-le de framboises fraîches saupoudrées de sucre. Laissez 1 h au réfrigérateur avant de servir.

★★

Gâteau au gingembre et à l'ananas

Pour 6-8 personnes. Préparation : 20 mn. Cuisson : de 1 h à 1 h 30. Stockage à —18° : 1 mois

- *4 blancs d'œufs*
- *100 g de sucre semoule*
- *100 g de cassonade*
- *3 dl de crème fraîche*
- *250 g d'ananas au sirop*
- *1 gros dé de racine de gingembre confit*

1. Allumez le four, thermostat 3 (110°). Tracez 3 cercles de 20, 18 et 15 cm de diamètre sur du papier sulfurisé. Posez les papiers sur 1 ou 2 tôles à pâtisserie, selon la grandeur de votre four. Fouettez les blancs en neige pas trop ferme, puis ajoutez peu à peu le sucre semoule et la cassonade en fouettant sans cesse. Répartissez ce mélange à meringue sur les 3 cercles et mettez-les au four de 1 h à 1 h 30, jusqu'à ce que les meringues soient parfaitement sèches et fermes, de couleur crème ou, tout au plus, blondes. Laissez-les refroidir dans le four, puis décollez le papier avec précaution.

2. Egouttez l'ananas, coupez les tranches en petits dés. Hachez finement le gingembre. Fouettez la crème jusqu'à ce qu'elle soit ferme, ajoutez l'ananas et le gingembre. Tartinez la plus grande meringue avec la moitié de ce mélange ; posez par-dessus la deuxième meringue et tartinez-la également de crème. Surmontez-la de la plus petite meringue et tartinez celle-ci avec le reste de la crème.

3. Faites congeler à découvert, puis glissez le gâteau dans un sachet de plastique, scellez et mettez dans un carton à gâteau de pâtissier en manipulant le gâteau avec beaucoup de précaution car la meringue congelée est très friable. Etiquetez et stockez.

Pour servir : faites glisser le gâteau sur un plat et laissez au réfrigérateur de 12 à 15 h.

Mignardises au chocolat ★★

Pour 6 personnes. Préparation et cuisson : 20 mn. Stockage à −18° : 1 mois

- 150 g de chocolat amer
- 2 œufs
- 50 g de sucre semoule
- 1,5 dl de crème fraîche épaisse
- 100 g de fruits confits assortis
- quelques gouttes de Cointreau, de curaçao ou d'eau de fleur d'oranger
- 1 pincée de sel

1. Cassez le chocolat en petits morceaux et faites-le fondre au bain-marie. Lorsque le chocolat est fondu, battez-le au fouet pour qu'il soit bien lisse et nappez-en le fond et les côtés de 6 petits moules ronds à bord haut en aluminium. Lissez le nappage avec le plat du manche d'une cuillère. Laissez solidifier.

2. Coupez les fruits confits en dés ; fouettez la crème jusqu'à ce qu'elle forme des petits pics assez fermes. Cassez les œufs en séparant les blancs des jaunes. Battez les jaunes jusqu'à ce qu'ils soient bien homogènes. Ajoutez une pincée de sel aux blancs et battez-les en neige ferme. Incorporez-y le sucre, cuillerée par cuillerée, en fouettant sans cesse. Mélangez les jaunes avec la crème et les fruits confits, puis ajoutez délicatement les blancs en neige. Parfumez de quelques gouttes de Cointreau, de curaçao ou d'eau de fleur d'oranger. Répartissez ce mélange dans les moules. Egalisez le haut.

3. Couvrez chaque moule de papier d'aluminium, scellez, étiquetez et congelez.

Pour servir : laissez à température ambiante de 5 à 10 mn, puis faites doucement glisser les mignardises hors de leur moule sur de petites assiettes.

Gâteau sans cuisson

Pour 6-8 personnes. Préparation : 25 mn. Stockage à −18° : 1 mois

★

80 g de beurre ramolli
80 g de sucre semoule
● *50 g de cacao*
● *1 jaune d'œuf*
● *3 cuil. à soupe de kirsch*
● *8 cerises à l'eau-de-vie*
● *50 g de noisettes pilées*
● *32 biscuits à la cuiller*
● *1,5 dl de café noir*
très fort

Pour servir :
● *1,5 dl de crème*
● *1 cuil. à soupe*
de sucre glace
16 petites meringues

1. Tapissez un moule à manqué de 20 cm de diamètre avec du papier d'aluminium. Mélangez le beurre et le sucre dans une terrine jusqu'à obtention d'une crème mousseuse. Dénoyautez les cerises et hachez-les grossièrement. Ajoutez alors dans la terrine les cerises, le cacao, le jaune d'œuf, les noisettes pilées et le kirsch. Mélangez vigoureusement.

2. Trempez rapidement les biscuits dans le café et tapissez-en, au fur et à mesure, le fond du moule. Recouvrez d'une couche de crème au chocolat assez épaisse ; posez une couche de biscuits trempés dans le café et recouvrez-les avec le reste de la crème. Terminez par une couche de biscuits. Tassez.

3. Couvrez le moule d'une double épaisseur de papier d'aluminium, scellez, étiquetez et congelez.

Pour servir : démoulez le gâteau sur un plat de service et mettez de 3 à 4 h au réfrigérateur. Recouvrez avec 1,5 dl de crème fouettée avec 1 cuillerée à soupe de sucre glace. Collez régulièrement les petites meringues sur la crème et servez.

Bûche délice au chocolat

Pour 8 personnes. Préparation et cuisson : 25 mn. Réfrigération : de 3 à 4 h. Stockage à −18° : 1 mois

● *250 g de chocolat*
● *200 g de beurre*
● *2 œufs*
● *50 g de sucre semoule*
● *200 g de petits-beurre*

Pour servir :
● *3 dl de crème*
● *2 cuil. à soupe*
de sucre glace
● *16 petites meringues*
● *copeaux de chocolat*

1. A l'aide d'un ouvre-boîtes, découpez le fond de 2 boîtes de conserve de 8 à 10 cm de diamètre, lavez-les et séchez-les soigneusement, couvrez chaque fond d'une double épaisseur de papier d'aluminium.

2. Cassez le chocolat en petits morceaux et faites-le fondre au bain-marie. Lorsque le chocolat est fondu, ajoutez le beurre et mélangez bien avec une spatule de bois. Battez les œufs en omelette avec le sucre, puis incorporez-y petit à petit le chocolat fondu en remuant vigoureusement.

3. Coupez les petits-beurre en carrés de 1,5 cm à peu près, ajoutez-les à la sauce au chocolat, puis versez ce mélange dans les boîtes, tassez bien et mettez au réfrigérateur pendant 3 ou 4 h. Otez alors les fonds garnis de papier d'aluminium et poussez doucement les cylindres au chocolat hors de leurs moules improvisés, puis pressez-les doucement ensemble, l'un derrière l'autre.

4. Enveloppez la bûche dans du papier d'aluminium, puis glissez ce long cylindre dans un sac en plastique ; scellez, étiquetez et congelez.

Pour servir : déballez la bûche, posez-la sur un plat de service et mettez-la au réfrigérateur pendant 3 à 4 h. Nappez de 3 dl de crème fouettée additionnée de 2 cuillerées à soupe de sucre glace et décorez de petites meringues et de copeaux de chocolat.

Cake au thé et à l'orange ★

Pour 6-8 personnes. Préparation : 15 mn. Macération : 2 h. Cuisson : 1 h 30. Stockage à −18° : 3 mois

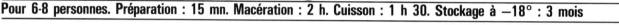

- *280 g de farine*
- *1 cuil. à café de levure*
- *1/2 cuil. à café de bicarbonate de soude*
- *1 œuf*
- *150 g de sucre roux*
- *150 g de raisins secs*
- *150 g de raisins de Malaga*
- *2 oranges non traitées*
- *3 dl de thé fort et chaud*
- *sel*

1. Rincez les raisins. Lavez et épongez les oranges. Râpez-en le zeste. Arrosez le zeste et les raisins avec le thé chaud. Laissez macérer pendant 2 h.

2. Tapissez un moule à manqué d'environ 20 cm de diamètre de papier sulfurisé. Allumez le four, thermostat 4 (140°). Versez le thé et les fruits dans un saladier. Ajoutez l'œuf et une pincée de sel. Tamisez la farine, la levure et le bicarbonate au-dessus du saladier. Mélangez vigoureusement à la cuillère en bois. Versez la pâte dans le moule et mettez au four pendant 1 h 30. Laissez tiédir, puis démoulez ; décollez le papier.

3. Emballez le cake dans du papier d'aluminium et glissez-le dans un sac en plastique ; scellez, étiquetez et congelez.

Pour servir : laissez le cake pendant 4 à 5 h à température ambiante, puis servez avec du beurre frais, de la marmelade d'oranges ou de la compote de fruits.

Cake aux abricots ★

Pour 6-8 personnes. Préparation : 15 mn. Cuisson : 1 h 30. Stockage à −18° : 3 mois

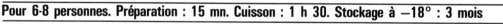

- *200 g de farine*
- *1 cuil. à café de levure*
- *400 g d'abricots au sirop*
- *100 g de cerises confites*
- *200 g de raisins secs*
- *100 g de raisins de Malaga*
- *120 g de sucre semoule*
- *2 gros œufs*
- *150 g de beurre ramolli*
- *2 cuil. à soupe de rhum*
- *sel*

1. Tapissez un moule à cake de papier sulfurisé. Tamisez la farine, ajoutez la levure et une pincée de sel. Coupez les cerises en deux, roulez-en les 2/3 dans un peu de farine et gardez le reste pour la décoration. Egouttez les abricots et coupez-les en petits morceaux. Rincez les raisins. Travaillez dans un saladier le beurre et le sucre à l'aide d'une cuillère de bois. Lorsque le mélange est crémeux, incorporez-y les œufs un à un en travaillant vigoureusement la pâte. Incorporez ensuite la farine, le rhum, les raisins, les abricots et les cerises enrobées de farine.

2. Allumez le four, thermostat 5 (170°). Versez la préparation dans le moule, posez dessus les cerises mises de côté et faites cuire au four pendant 1 h 30. Laissez tiédir, démoulez, enlevez le papier et enveloppez le cake dans du papier d'aluminium, puis glissez-le dans un sac en plastique, scellez, étiquetez et congelez.

Pour servir : laissez le cake dans son emballage pendant 6 h à température ambiante. Ce cake est toujours meilleur si on le garde enveloppé jusqu'au moment de servir.

★

Gâteau aux noix et aux dattes

Pour 6 personnes. Préparation et cuisson : 1 h 20. Stockage à −18° : 3 mois

- 50 g de noix pilées
- 200 g de dattes
- 280 g de farine
- 225 g de sucre
- 80 g de beurre ramolli
- 1 œuf
- 3 dl d'eau très chaude
- 1 cuil. à café de levure
- 1 cuil. à café
  de bicarbonate
  de soude
- sel

Pour la garniture :
- 65 g de sucre roux
- 25 g de beurre
- 2 cuil. à soupe de lait
- 20 cerneaux de noix

1. Fendez les dattes en deux, enlevez les noyaux, puis coupez les fruits en petits morceaux. Tapissez un moule carré de 23 cm de côté de papier sulfurisé. Mettez 3 dl d'eau très chaude dans un bol avec les dattes et le bicarbonate ; laissez reposer 5 mn. Battez le beurre et le sucre dans une terrine, à l'aide d'une cuillère en bois, jusqu'à ce que le mélange devienne crémeux. Incorporez-y l'œuf, puis le mélange dattes-eau-bicarbonate. Allumez le four, thermostat 5 1/2 (180°).

2. Tamisez la farine, ajoutez la levure et 1/2 cuillerée à café de sel et versez-la peu à peu dans la terrine ; ajoutez les noix pilées, mélangez bien. Versez le tout dans le moule et mettez au four pendant 1 h.

3. Lorsque la cuisson est achevée, démoulez le gâteau, décollez le papier avec précaution et laissez refroidir sur une grille.

4. Mettez le beurre, le sucre et le lait dans une petite casserole ; portez à ébullition et laissez cuire 3 mn à feu doux, puis versez doucement sur le dessus du gâteau, posez les cerneaux de noix tout autour et laissez solidifier. Enveloppez le gâteau dans du papier d'aluminium, glissez-le dans un sac en plastique, scellez, étiquetez et congelez.

Pour servir : déballez le gâteau et laissez-le à température ambiante pendant 5 à 6 h.

Diable au chocolat

Pour 6-8 personnes. Préparation et cuisson : 1 h. Stockage à −18° : sans glaçage, 3 mois ; avec glaçage, 1 mois

Pour le gâteau :
- *90 g de farine*
- *1 cuil. à soupe de cacao*
- *1/2 cuil. à café de bicarbonate de soude*
- *1/2 cuil. à café de levure*
- *70 g de sucre semoule*
- *1 cuil. à soupe de sirop d'érable ou de miel liquide*
- *1 œuf*
- *6 cuil. à soupe d'huile de tournesol*
- *6 cuil. à soupe de lait*

Pour le glaçage :
- *125 g de sucre*
- *2 blancs d'œufs*

1. Tapissez 2 moules à manqué de 15 cm de diamètre de papier sulfurisé. Battez l'œuf en omelette. Allumez le four, thermostat 5 (170°). Tamisez la farine avec le cacao, le bicarbonate et la levure dans un saladier. Creusez-y une fontaine et versez-y le sirop (ou le miel) et le sucre, puis, à l'aide d'une cuillère en bois, incorporez progressivement l'œuf, l'huile et le lait, à partir du centre. Lorsque le tout est bien incorporé, remuez vigoureusement pour rendre la pâte parfaitement lisse. Versez-la dans les moules et faites cuire au four de 30 à 35 mn. Le gâteau est à point lorsqu'il reprend sa forme après une légère pression du doigt. Démoulez et laissez refroidir sur une grille.

2. Confectionnez le glaçage juste avant de mettre au congélateur : mettez le sucre dans une casserole, avec 1,5 dl d'eau, mélangez et faites cuire à feu doux jusqu'à ce qu'une goutte de sirop tombée sur une assiette froide forme une petite boule. Battez les blancs d'œufs en neige ferme et versez doucement le sirop dessus sans cesser de fouetter avec un petit fouet métallique ; continuez de fouetter jusqu'à ce que tout le sirop soit absorbé. Nappez immédiatement l'un des gâteaux sur une face avec cette préparation, posez le deuxième gâteau par-dessus et recouvrez entièrement l'ensemble avec le reste du glaçage, sans lisser.

3. Faites congeler à découvert, puis glissez le gâteau dans un sac en plastique, scellez, étiquetez et stockez.

Pour servir : sortez le gâteau du sac, posez-le sur un plat de service et laissez-le décongeler pendant au moins 4 h 30 à température ambiante.

 ★ ★

Reine de Saba

Pour 6 personnes. Préparation et cuisson : 1 h 15. Stockage à −18° : 1 mois

Pour le gâteau :
- *100 g de chocolat amer*
- *3 dl de lait homogénéisé*
- *100 g de sucre roux*
- *100 g de beurre ramolli*
- *100 g de sucre semoule*
- *225 g de farine*
- *2 œufs*
- *1 cuil. à café de bicarbonate de soude*

Pour le glaçage :
- *80 g de beurre*
- *50 g de cacao tamisé*
- *6 cuil. à soupe de lait*
- *230 g de sucre glace*

1. Tapissez 2 moules à manqué de 20 cm de diamètre de papier sulfurisé. Cassez le chocolat en morceaux et faites-le fondre dans une casserole, à feu très doux, avec le lait et le sucre roux, en veillant à ce qu'il ne cuise pas. Otez ensuite la casserole du feu, ajoutez le bicarbonate, mélangez et laissez refroidir.

2. Cassez les œufs en séparant les blancs des jaunes. Mélangez vigoureusement le beurre et le sucre semoule jusqu'à ce que le mélange devienne crémeux, puis ajoutez les jaunes d'œufs et mélangez encore jusqu'à ce que l'ensemble soit parfaitement homogène. Allumez le four, thermostat 5 (170°).

3. Incorporez la crème au chocolat au mélange beurre-œufs-sucre, puis tamisez la farine et ajoutez-la peu à peu. Mélangez bien. Battez les blancs d'œufs en neige très ferme et ajoutez-les à la pâte, avec précaution, jusqu'à ce que l'ensemble soit de couleur homogène. Répartissez cette pâte dans les moules et faites cuire au four pendant 45 mn. Démoulez dès que la cuisson est achevée et laissez refroidir sur une grille.

4. Préparez le glaçage : faites fondre le beurre dans une petite casserole, ajoutez le cacao et mélangez pendant 1 mn. Otez la casserole du feu et incorporez peu à peu le lait et le sucre glace, en le passant au tamis. Mélangez bien. Etalez un peu de glaçage sur l'une des faces de chaque gâteau et collez-les l'un sur l'autre. Glacez ensuite le dessus du gâteau et les côtés, en lissant bien à l'aide d'une spatule métallique.

5. Laissez reposer le gâteau 1 h, puis enveloppez-le avec précaution dans du papier d'aluminium, glissez-le dans un sac en plastique ; scellez, étiquetez, congelez.

Pour servir : sortez le gâteau de son emballage, posez-le sur un plat de service et laissez-le décongeler à température ambiante pendant 5 à 6 h. Décorez de cerneaux de noix.

Quatre-quarts à garnir

Pour 6-8 personnes. Préparation : 15 mn. Cuisson : 25 mn. Stockage à −18° : 3 mois

- *180 g de farine à levure incorporée*
- *180 g de sucre semoule*
- *180 g de beurre ramolli*
- *3 gros œufs*
- *1 pincée de sel*

1. Allumez le four, thermostat 6 (200°). Beurrez 2 moules à manqué de 20 cm de diamètre. Battez le beurre avec le sucre dans un saladier jusqu'à obtention d'une crème lisse. Incorporez les œufs un à un, en remuant à la cuillère de bois. Tamisez la farine sur ce mélange et incorporez-la ainsi que le sel en remuant vigoureusement, puis répartissez la pâte dans les 2 moules, en ne les remplissant qu'aux 3/4. Faites cuire au four pendant 25 à 30 mn. Démoulez alors les quatre-quarts sur une grille et laissez-les refroidir.

2. Enveloppez les quatre-quarts dans du papier d'aluminium et glissez-les dans un sac en plastique. Scellez, étiquetez et congelez.

Pour servir : laissez à température ambiante pendant 4 à 5 h, puis garnissez l'un des gâteaux avec de la crème fouettée et de la confiture de framboises ; superposez le deuxième gâteau et poudrez de sucre glace.

Parfums et garnitures

1. *Orange et citron :* lavez et épongez une orange et un citron non traités, râpez-en les zestes avec une petite râpe à épices ; ajoutez ces zestes à la pâte, avant d'incorporer la farine.

2. *Chocolat :* préparez la pâte avec 150 g de farine à levure incorporée et 30 g de cacao. Confectionnez un glaçage au chocolat : faites fondre 80 g de beurre dans une petite casserole, ajoutez 50 g de cacao, mélangez. Incorporez peu à peu, hors du feu, 6 cuillerées à soupe de lait et 230 g de sucre glace tamisé. Garnissez l'un des quatre-quarts avec une partie du glaçage, posez le second quatre-quarts par-dessus et masquez entièrement le gâteau avec le reste du glaçage. Lissez à l'aide d'une spatule métallique et laissez prendre.

3. *Café :* faites dissoudre 1 cuillerée à café de café instantané en poudre dans 1 cuillerée à soupe d'eau, ajoutez-le au mélange beurre-sucre. Préparez une crème au café : travaillez 225 g de beurre et 150 g de sucre jusqu'à ce que vous obteniez une crème épaisse ; travaillez 2 jaunes d'œufs à la cuillère de bois, puis incorporez-les au mélange beurre-sucre ; ajoutez 1 cuillerée à café d'extrait de café, mélangez et garnissez l'un des gâteaux de cette crème. Posez le second gâteau par-dessus.

4. *Cerises :* coupez en deux 50 g de cerises confites, ajoutez-les au mélange beurre-sucre-œufs. Fouettez 2 dl de crème fraîche, garnissez-en l'un des quatre-quarts, recouvrez de confiture de cerises noires, puis superposez le second quatre-quarts.

5. *Noix de coco :* ajoutez à la pâte, en même temps que la farine, 50 g de noix de coco râpée et 1 cuillerée à soupe de lait.

6. *Raisins secs et vanille :* rincez 50 g de raisins de Smyrne, faites-les tremper 15 mn à l'eau tiède, puis ajoutez-les à la pâte avec quelques gouttes d'extrait de vanille, après la farine. Vous pouvez faire cuire ces quatre-quarts dans de petits moules individuels.

7. *Gâteaux papillons :* faites cuire la pâte dans des petits moules individuels, puis coupez une tranche au sommet de chaque gâteau, coupez cette tranche en 2 demi-cercles, déposez un peu de crème au beurre sur chaque gâteau et posez par-dessus les demi-cercles, en les décalant un peu vers l'extérieur pour figurer les ailes.

8. *Noix :* préparez une pâte au café et ajoutez 50 g de noix pilées en même temps que la farine. Garnissez de crème au café (voir ci-dessus).

Toutes les garnitures au beurre ou à la crème congèlent facilement. Vous pouvez en garnir le gâteau avant congélation, mais, dans ce cas, réduisez le temps de stockage de moitié. Sinon, préparez-les au moment de servir.

Gâteau moelleux à la crème

Pour 4-6 personnes. Préparation et cuisson : 40 mn. Stockage à −18° : 1 mois

- *3 œufs*
- *75 g de sucre semoule*
- *75 g de farine*
- *1 pincée de levure*
- *1,5 dl de crème fraîche épaisse*
- *2 cuil. à soupe de « lemon curd »*
- *20 g de beurre*

1. Beurrez 2 moules à manqué de 18 cm de diamètre. Mettez les œufs et le sucre dans une terrine, au bain-marie ; faites chauffer à feu doux en battant au fouet jusqu'à ce que le mélange soit épais et crémeux et s'étire en ruban. Retirez alors la terrine du bain-marie et fouettez encore pendant 2 mn. Tamisez la farine avec la levure sur cette crème et incorporez-la délicatement. Allumez le four, thermostat 6 (200°).

2. Répartissez la pâte entre les 2 moules et faites cuire pendant 20 mn. Démoulez alors les gâteaux sur une grille et laissez-les refroidir dans un endroit aéré. Fouettez la crème fraîche jusqu'à ce qu'elle soit ferme et incorporez le « lemon curd ». Lorsque les gâteaux sont refroidis, garnissez l'un d'eux avec la crème et posez l'autre par-dessus.

3. Enveloppez le gâteau avec précaution dans du papier d'aluminium, glissez-le dans un sac en plastique, scellez, étiquetez et congelez.

Pour servir : mettez 10 h au réfrigérateur ou 4 h à température ambiante. Faites glisser le gâteau sur un plat de service et poudrez-le de sucre glace.

Le « lemon curd », préparation à base d'œufs et de citron qui constitue une excellente garniture pour les tartes et les gâteaux, s'achète dans les épiceries fines.

Tuiles aux amandes

Pour 18 à 20 tuiles. Préparation et cuisson : 20 mn. Stockage à −18° : 6 mois

- *65 g de beurre ramolli*
- *50 g de sucre cristallisé*
- *40 g de farine*
- *40 g d'amandes effilées*
- *1 cuil. à soupe d'huile*

1. Mettez le beurre et le sucre dans un saladier et mélangez à la cuillère de bois jusqu'à ce que le mélange devienne crémeux, puis incorporez la farine et les amandes. Allumez le four, thermostat 5 (170°). Huilez une tôle à pâtisserie. Déposez dessus de petits tas de pâte, espacés de 8 cm environ. Aplatissez-les avec une fourchette humide et faites-les cuire de 8 à 10 mn jusqu'à ce que la pâte soit bien dorée.

2. Sortez la tôle du four, soulevez délicatement les tuiles à l'aide d'une spatule métallique souple et déposez-les à cheval sur un rouleau à pâtisserie.

3. Déposez les tuiles complètement refroidies dans une barquette d'aluminium, couvrez, scellez, étiquetez, congelez.

Pour servir : laissez 1 h à température ambiante. Ces tuiles aux amandes accompagnent parfaitement les mousses fraîches ou glacées, les glaces et les crèmes.

Biscuits friands au chocolat ★

Pour 32 biscuits. Préparation : 15 mn. Réfrigération : 1 h. Cuisson : 20 mn. Stockage à −18° : 6 mois

- *200 g de farine*
- *25 g de cacao*
- *200 g de beurre ramolli*
- *100 g de sucre semoule*
- *25 g de sucre cristallisé*
- *1 pincée de sel*

1. Tamisez la farine et le cacao dans un saladier ; ajoutez une pincée de sel. Mélangez 175 g de beurre et le sucre semoule dans une terrine jusqu'à ce que l'ensemble devienne mousseux, puis incorporez la farine et remuez vigoureusement jusqu'à ce que la pâte devienne très lisse. Divisez cette pâte en 2 parties égales, roulez-les en boudins de 15 cm de long. Passez-les dans le sucre cristallisé, puis enveloppez-les dans du papier d'aluminium et mettez-les au réfrigérateur jusqu'à ce qu'ils soient fermes.

2. Allumez le four, thermostat 6 (200°). Graissez 2 tôles à pâtisserie avec le reste du beurre. Sortez les boudins du réfrigérateur, ôtez le papier et coupez chaque rouleau en 16 tranches. Placez-les sur les tôles et faites cuire au four pendant 20 mn environ, jusqu'à ce que les bords des biscuits deviennent d'un brun plus soutenu. Laissez-les ensuite refroidir totalement sur une grille. Rangez les biscuits dans une boîte en plastique, couvrez, scellez, étiquetez et congelez.

Pour servir : sortez les biscuits de la boîte et laissez-les 1 h à température ambiante.

 ★

Palets aux amandes

Pour 36 biscuits environ. Préparation : 10 mn. Stockage à −18° : 1 mois

- 225 g de beurre
- 225 g de farine
- 100 g de sucre semoule
- 1/2 cuil. à café d'extrait de vanille
- 1/2 cuil. à café de levure
- 3 cuil. à soupe de cacao
- noix et amandes pilées

1. Mettez le beurre, le sucre et l'extrait de vanille dans une terrine, battez à la cuillère de bois jusqu'à ce que le mélange devienne crémeux, puis tamisez la farine et incorporez-la ainsi que la levure et le cacao. Mélangez vigoureusement.

2. Déposez des petits tas de pâte sur une plaque d'aluminium en les espaçant suffisamment. Trempez une fourchette dans l'eau et aplatissez la pâte avec la fourchette humide. Répartissez les noix et les amandes pilées sur la pâte.

3. Mettez la plaque au congélateur et congelez les biscuits à découvert, puis rangez-les dans une boîte en plastique ou une barquette d'aluminium, couvrez, scellez et stockez.

Pour servir : beurrez une tôle à pâtisserie, déposez les biscuits dessus et mettez au four, thermostat 6 (200°), pendant 10 à 15 mn. Laissez durcir 1 mn sur la tôle, puis faites refroidir les palets sur une grille.

 ★

Biscuits à la cassonade

Pour 32 biscuits. Préparation : 10 mn. Réfrigération : 1 h. Cuisson : 20 mn. Stockage à −18° : 6 mois

- 225 g de farine
- 200 g de beurre ramolli
- 150 g de cassonade
- 1 pincée de sel

1. Tamisez la farine dans un grand bol, ajoutez une pincée de sel. Battez 175 g de beurre et 100 g de cassonade dans un saladier, jusqu'à ce que le mélange devienne crémeux. Incorporez la farine et mélangez jusqu'à ce que l'ensemble forme une pâte lisse et homogène. Divisez la pâte en 2 portions égales et roulez-les en 2 boudins de 15 cm de long. Roulez ces boudins dans le reste de cassonade, puis enveloppez-les dans du papier d'aluminium et mettez-les au réfrigérateur pour les faire raffermir.

2. Beurrez 2 tôles à pâtisserie. Allumez le four, thermostat 4 1/2 (160°). Sortez les pâtes du réfrigérateur, ôtez les papiers et coupez chaque boudin en 16 rondelles ; rangez ces rondelles sur les tôles. Faites cuire au four pendant 20 mn environ, jusqu'à ce que le bord des biscuits prenne une teinte plus soutenue. Faites refroidir sur une grille.

3. Emballez dans une boîte de plastique, couvrez, scellez, étiquetez et congelez.

Pour servir : sortez les biscuits de la boîte, laissez-les 1 h à température ambiante.

Petits pavés à la noix de coco

Pour 900 g de bonbons. Préparation et cuisson : 30 mn environ. Stockage à −18° : 12 mois

- *680 g de sucre cristallisé*
- *225 g de noix de coco râpée*
- *quelques gouttes de colorant alimentaire rose*

1. Tapissez un moule à manqué de 18 cm de côté de papier sulfurisé. Faites fondre 340 g de sucre avec 1,5 dl d'eau dans une casserole, portez à ébullition à feu vif et laissez bouillir jusqu'à ce qu'une goutte de sirop lâchée dans de l'eau froide forme une boule molle. Retirez du feu et versez d'un seul coup la moitié de la noix de coco, ajoutez quelques gouttes de colorant, mélangez rapidement et versez dans le moule en une couche uniforme.

2. Recommencez l'opération avec le reste du sucre. N'ajoutez pas de colorant. Versez sur la première couche. Laissez refroidir, coupez en petits pavés et enveloppez dans du papier paraffiné.

3. Enveloppez le tout dans du papier d'aluminium. Glissez le paquet dans un sachet en plastique, scellez, étiquetez et congelez.

Pour servir : laissez à température ambiante pendant 5 à 6 h.

Bonbons fondants aux raisins de Corinthe

★★

Pour 700 g de bonbons. Préparation et cuisson : 20 mn. Stockage à −18° : 3 mois

- *1 petite boîte de lait concentré non sucré*
- *80 g de beurre*
- *450 g de sucre cristallisé*
- *1/4 de cuil. à café d'extrait de vanille*
- *50 g de raisins de Corinthe*

1. Rincez et épongez les raisins secs. Beurrez un moule à manqué de 18 cm de côté. Mettez le lait, 75 g de beurre, le sucre et 1,5 dl d'eau dans une casserole à fond épais. Faites doucement chauffer, sans bouillir, jusqu'à ce que le sucre ait fondu. Portez alors à ébullition en remuant sans cesse à la cuillère de bois. Retirez la casserole du feu lorsqu'une goutte du mélange lâchée dans de l'eau froide forme une boule molle. Incorporez l'extrait de vanille et laissez légèrement refroidir, puis fouettez vivement tandis que le mélange épaissit. Lorsque la pâte commence à cristalliser sur la cuillère, ajoutez les raisins secs. Versez la préparation dans le moule et laissez prendre.

2. Lorsque la pâte est bien ferme, découpez-la en 36 petits carrés. Mettez les bonbons dans une boîte de plastique étanche, étiquetez et congelez.

Pour servir : sortez les bonbons de la boîte, étalez-les sur un plateau et laissez-les décongeler de 1 à 2 h à température ambiante avant de les ranger sur une assiette.

Sorbet à la framboise

Pour 4 personnes. Préparation et cuisson : 20 mn. Réfrigération : 1 h. Stockage à −18° : 1 mois

- *500 g de framboises*
- *180 g de sucre*
- *2 blancs d'œufs*

1. Mélangez le sucre avec 3 dl d'eau, laissez-le fondre, puis portez à ébullition et laissez bouillir 10 mn à feu moyen. Passez les framboises au tamis pour les réduire en purée. Versez le sirop sur la purée de framboises, mélangez bien et versez cette préparation dans un bac à glaçons. Laissez refroidir et mettez 1 h environ dans le compartiment à glace du réfrigérateur.

2. Lorsque la purée de framboises au sirop a pris, sans être ferme, sortez-la du réfrigérateur, démoulez-la dans une terrine, écrasez-la à la fourchette. Battez les blancs d'œufs en neige pas trop ferme, incorporez-les à la purée de framboises.

3. Versez la préparation dans une boîte en plastique, couvrez, scellez, étiquetez et congelez.

Pour servir : mettez la boîte de 10 à 20 mn au réfrigérateur, puis façonnez le sorbet à l'aide d'une cuillère et présentez-le dans des coupes ou des verres à pied.

Sorbet à l'orange

Pour 4 personnes. Préparation et cuisson : 20 mn. Réfrigération : 1 h. Stockage à −18° : 3 mois

- *2 dl de jus d'orange*
- *180 g de sucre*
- *2 blancs d'œufs*

1. Versez le sucre dans une petite casserole, ajoutez 4 dl d'eau et faites dissoudre le sucre, puis portez à ébullition et laissez bouillir 10 mn à feu moyen. Laissez tiédir. Incorporez le jus d'orange au sirop. Mélangez bien, versez dans un bac à glaçons et placez celui-ci dans le compartiment à glace du réfrigérateur pendant 1 h environ.

2. Battez les blancs d'œufs en neige pas trop ferme. Lorsque le jus d'orange au sirop a pris, sans être ferme, démoulez-le dans une terrine, écrasez-le à la fourchette et incorporez les blancs en neige.

3. Versez la préparation dans une boîte de plastique, couvrez, scellez et congelez.

Pour servir : mettez la boîte de 10 à 20 mn au réfrigérateur, puis formez des boules à l'aide d'une cuillère et servez dans des coupes ou des verres à pied.

Salade de fruits rouges

Pour 4 personnes. Préparation et cuisson : 15 mn. Stockage à −18° : 3 mois

- *250 g de cassis*
- *250 g de fraises*
- *200 g de framboises*
- *1 tige de rhubarbe*
- *250 g de sucre semoule*
- *1 cuil. à café de jus de citron*

Pour servir :
- *1 cuil. à soupe de curaçao ou d'eau-de-vie de framboise*

1. Grattez la rhubarbe, lavez-la, coupez-la en petits tronçons. Mettez-la dans une casserole avec le sucre et 3 cuillerées à soupe d'eau. Portez à ébullition, couvrez et laissez cuire 5 mn à feu doux. Lavez et épongez le cassis, ajoutez-le à la rhubarbe et laissez cuire encore 1 mn, puis laissez refroidir. Lavez rapidement les fraises, puis ôtez les queues.

2. Recueillez la rhubarbe et le cassis à l'aide d'une écumoire et mettez-les au fond d'une barquette en aluminium. Posez les fraises par-dessus et terminez par les framboises qui sont les plus fragiles. Arrosez l'ensemble avec le jus de citron et ajoutez le sirop de cuisson de la rhubarbe. Couvrez, scellez, étiquetez, congelez.

Pour servir : laissez décongeler dans la barquette fermée au réfrigérateur, pendant 12 h. Répartissez la salade de fruits dans des verres à pied, arrosez d'un peu de curaçao ou d'eau-de-vie de framboise. Servez éventuellement avec de la crème fouettée.

Sorbet au cassis

Pour 4 personnes. Préparation et cuisson : 20 mn. Réfrigération : 1 h. Stockage à −18° : 3 mois

- *1 kg de cassis*
- *175 g de sucre cristallisé*
- *2 cuil. à soupe*
  de jus de citron
- *3 cuil. à soupe de rhum*

1. Lavez et épongez le cassis. Faites-le cuire à feu doux dans une casserole à fond épais, avec le sucre et 9 dl d'eau, jusqu'à ce que les grains de cassis rendent leur jus (10 mn environ). Ajoutez le jus de citron et passez le cassis au tamis pour le réduire en purée. Versez cette purée sirupeuse dans un plat peu profond et mettez 1 h au freezer.

2. Lorsque la purée de fruit a pris, sans être ferme, battez-la au fouet jusqu'à ce qu'elle devienne mousseuse et ajoutez le rhum.

3. Versez dans une boîte en plastique, couvrez, scellez, étiquetez, congelez.

Pour servir : mettez de 10 à 20 mn au réfrigérateur, puis, à l'aide d'une cuillère, façonnez le sorbet en boules et présentez-le dans des coupes.

Crème glacée au citron

Pour 4-6 personnes. Préparation et cuisson : 20 mn. Stockage à −18° : 1 mois

- *225 g de sucre cristallisé*
- *8 jaunes d'œufs*
- *4 cuil. à soupe*
  de jus de citron
- *3 dl de crème fraîche*
  double
- *2 sachets*
  de sucre vanillé

1. Etalez le sucre sur un plat de cuisson émaillé et placez-le sous le gril jusqu'à ce qu'il commence à caraméliser. Mettez les jaunes d'œufs dans un grand bol, versez le sucre dessus tout en battant avec une cuillère en bois, jusqu'à ce que le mélange devienne onctueux et mousseux, d'une teinte jaune pâle uniforme. Ajoutez le jus de citron. Mélangez.

2. Versez la crème fraîche dans une terrine et fouettez-la jusqu'à ce qu'elle ait doublé de volume. Ajoutez le sucre vanillé et mélangez avec les jaunes d'œufs au sucre. Versez la préparation dans une boîte en plastique, couvrez, scellez, étiquetez et congelez.

Pour servir : laissez 5 mn à température ambiante, puis, à l'aide d'une cuillère, façonnez la crème glacée en boules et servez dans des coupes individuelles.

Crème glacée à la fraise

Pour 4 personnes. Préparation et cuisson : 20 mn. Stockage à −18° : 1 mois

- *500 g de fraises*
- *50 g de sucre cristallisé*
- *50 g de sucre semoule*
- *2 œufs*
- *1 petite boîte de lait concentré non sucré, très froid*

1. Lavez rapidement les fraises à l'eau fraîche, puis ôtez les queues. Mettez-les dans une casserole avec le sucre cristallisé. Faites-les cuire à feu doux pendant 5 mn environ, jusqu'à ce qu'elles soient molles. Passez-les au mixer et laissez-les refroidir.

2. Cassez les œufs en séparant les blancs des jaunes. Mettez les jaunes dans un petit bol et battez-les à la fourchette. Versez les blancs dans un grand bol et battez-les en neige ferme, puis incorporez le sucre semoule, cuillerée par cuillerée, sans cesser de battre. Battez au fouet le lait concentré pour le faire épaissir et mélangez-le à la purée de fraises, puis incorporez ce mélange aux jaunes d'œufs. Ajoutez alors délicatement les blancs battus en neige.

3. Versez la préparation dans une boîte en plastique, couvrez, scellez, étiquetez et congelez.

Pour servir : laissez 5 mn à température ambiante, puis, à l'aide d'une cuillère, façonnez la crème glacée en boules et présentez dans des coupes.

Crème glacée au caramel

Pour 4 personnes. Préparation et cuisson : 20 mn. Stockage à −18° : 1 mois

- *75 g de chapelure*
- *50 g de cassonade*
- *100 g de sucre semoule*
- *4 œufs*
- *3 dl de crème fraîche épaisse*

1. Mettez la cassonade et la chapelure dans une casserole émaillée ou en inox, faites chauffer à feu vif en remuant à la spatule de bois pendant 4 mn, puis retirez du feu.

2. Cassez les œufs en séparant les blancs des jaunes. Battez les jaunes à la fourchette. Battez les blancs en neige ferme, puis incorporez-y le sucre semoule, cuillerée par cuillerée, sans cesser de battre jusqu'à ce que les blancs soient très fermes. Fouettez la crème jusqu'à ce qu'elle ait doublé de volume, incorporez-y les jaunes d'œufs et le mélange cassonade-chapelure. Ajoutez enfin, délicatement, les blancs battus. Versez la préparation dans une boîte en plastique, couvrez, scellez, étiquetez et congelez.

Pour servir : laissez 5 mn à température ambiante, puis, à l'aide d'une cuillère, façonnez la crème en boules et servez dans des coupes avec des biscuits secs.

Pain à l'avoine

Pour 2 pains de 250 g chacun. Préparation : 45 mn. Repos de la pâte : de 1 à 2 h. Cuisson : 1 h. Stockage à −18° : 3 mois

- *300 g de farine de blé complet*
- *200 g de flocons d'avoine + 1 cuil. à soupe*
- *2,5 dl de lait + 1 cuil. à café*
- *1,5 cuil. à café de sel*
- *1 cuil. à café de sucre*
- *1/2 cube de levure de boulanger*
- *2 cuil. à soupe d'huile de maïs*
- *20 g de beurre*

1. Mettez 200 g de flocons d'avoine dans un saladier, ajoutez 2,5 dl de lait, mélangez, laissez reposer 30 mn. Dissolvez le sucre et la levure dans 4 cuillerées à soupe d'eau tiède. Tamisez la farine dans un saladier. Creusez-y une fontaine, ajoutez le sel, les flocons d'avoine et le lait, la levure diluée et l'huile et malaxez le tout pendant environ 10 mn. Poudrez de farine et couvrez avec un torchon humide. Laissez lever 1 ou 2 h, jusqu'à ce que la pâte ait doublé de volume.

2. Allumez le four, thermostat 7 (230°). Beurrez 2 moules à manqué. Malaxez la pâte à pain encore 2 mn, puis façonnez-la en 2 boules ; placez-les dans les moules. Aplatissez-les un peu. Badigeonnez le dessus de la pâte avec un peu de lait et répartissez 1 cuillerée à soupe de flocons. Faites cuire au four 30 mn, puis baissez le thermostat à 4 (140°) et laissez cuire encore 30 mn. Démoulez sur une grille et laissez tiédir.

3. Emballez les pains encore tièdes dans du papier d'aluminium, puis dans des sacs en plastique. Scellez, étiquetez et congelez.

Pour servir : enlevez le plastique, mettez les pains encore enveloppés d'aluminium dans le four, thermostat 7 (230°), pendant 8 à 10 mn. Déballez, coupez en tranches, servez.

Pain aux oignons

Pour 1 pain de 250 g. Préparation : 20 mn. Repos de la pâte : de 1 à 2 h. Cuisson : 1 h. Stockage à −18° : 1 mois

- *200 g de farine complète*
- *300 g d'oignons roses*
- *1 cuil. à soupe d'huile de maïs*
- *1/2 cube de levure de boulanger*
- *1/2 cuil. à café de sucre*
- *40 g de beurre*
- *1/2 cuil. à café de graines de sésame*
- *sel*

1. Emiettez la levure dans un bol, ajoutez le sucre et 1,2 dl d'eau tiède. Mélangez, laissez reposer dans un endroit chaud. Tamisez la farine, salez, ajoutez la levure diluée et l'huile, malaxez jusqu'à ce que la pâte soit lisse. Posez-la sur la table farinée et malaxez encore 10 mn, jusqu'à ce qu'elle devienne élastique. Façonnez-la en boule, couvrez-la d'un torchon humide et laissez-la lever jusqu'à ce qu'elle ait doublé de volume.

2. Allumez le four, thermostat 6 (200°). Pelez et émincez les oignons. Faites fondre 30 g de beurre dans une poêle, faites-y dorer les oignons à feu doux pendant 15 mn. Beurrez un moule à manqué de 20 cm de diamètre. Poudrez la pâte de farine et malaxez-la encore 1 mn, façonnez-la en une boule de même dimension que le moule, placez-la dans le moule, étalez les oignons dessus, poudrez de graines de sésame et faites cuire au four de 40 à 45 mn. Démoulez et laissez tiédir sur une grille.

3. Emballez le pain encore tiède dans du papier d'aluminium, puis dans un sac de plastique. Scellez, étiquetez et congelez.

Pour servir : ôtez le plastique et placez le pain, dans son emballage d'aluminium, au four, thermostat 7 (230°), pendant 8 à 10 mn. Déballez, coupez en tranches, servez.

Pain complet au blé cassé

Pour 2 pains de 300 g. Préparation : 20 mn. Repos de la pâte : de 1 à 2 h. Cuisson : 40 mn. Stockage à −18° : 3 mois

- *400 g de farine de blé complet*
- *200 g de farine de seigle complet*
- *1 cuil. à café de sucre*
- *1 cube de levure de boulanger*
- *2 cuil. à soupe d'huile d'arachide*
- *2 cuil. à café de sel*
- *2 cuil. à soupe de blé à germer concassé*
- *10 g de beurre*

1. Emiettez la levure dans un bol. Ajoutez le sucre et 4 dl d'eau tiède, mélangez. Tamisez la farine de seigle dans un saladier, puis ajoutez le sel et la farine de blé. Mélangez l'huile avec la levure diluée et versez sur la farine. Mélangez jusqu'à ce que la pâte soit bien homogène. Farinez un plan de travail. Posez-y la pâte et travaillez-la pendant 10 mn en l'écrasant avec la paume de la main, en un mouvement glissant vers l'avant, jusqu'à ce qu'elle soit homogène et élastique. Séparez-la en 2 boules.

2. Beurrez et farinez 2 tôles à pâtisserie. Placez-y les boules de pâte. Badigeonnez-les d'un peu d'eau salée et parsemez-les de blé concassé. Couvrez d'un torchon propre et humide et laissez lever jusqu'à ce que la pâte ait doublé de volume (de 1 à 2 h).

3. 15 mn avant la cuisson, allumez le four, thermostat 7 (230°). Enfournez les miches et laissez cuire de 30 à 40 mn. Faites tiédir les pains sur une grille.

4. Emballez les pains encore tièdes dans du papier d'aluminium, puis dans des sacs en plastique. Scellez, étiquetez et congelez.

Pour servir : laissez les pains dans leur emballage d'aluminium, mettez au four, thermostat 7 (230°), pendant 10 à 15 mn, puis ôtez le papier d'aluminium et laissez tiédir.

Pain du Wiltshire ★

Pour 1 pain de 600 g. Préparation : 20 mn. Cuisson : 1 h. Stockage à −18° : 3 semaines

- *400 g de farine à levure incorporée*
- *1 oignon*
- *1/2 pied de céleri-branche*
- *150 g de lard de poitrine frais*
- *1 cuil. à soupe de persil haché*
- *1,5 dl de lait homogénéisé*
- *1 œuf*
- *40 g de margarine*
- *10 g de beurre*
- *sel, poivre*

1. Allumez le four, thermostat 5 1/2 (180°). Enlevez la couenne du lard et hachez-le finement. Pelez l'oignon, hachez-le menu. Lavez le céleri, épongez-le et hachez-le finement également. Battez l'œuf en omelette dans un bol.

2. Mettez le lard, le céleri, l'oignon dans une petite casserole avec 40 g de margarine ; salez, poivrez et faites revenir 5 mn sur feu doux. Laissez tiédir. Tamisez la farine dans un saladier, salez, poivrez légèrement, ajoutez lard, céleri et oignon et travaillez le tout du bout des doigts, jusqu'à ce que le mélange soit bien réparti. Ajoutez le lait, l'œuf battu et le persil. Travaillez la pâte jusqu'à ce qu'elle soit homogène. Beurrez un moule à cake. Façonnez la pâte en un rectangle correspondant à la taille du moule, poudrez d'un peu de farine et mettez-la dans le moule. Faites cuire au four pendant 1 h. Laissez reposer le pain 5 mn, puis démoulez-le et laissez-le tiédir sur une grille.

3. Enveloppez le pain encore tiède dans du papier d'aluminium. Laissez refroidir. Glissez dans un sac de plastique, étiquetez, congelez.

Pour servir : ôtez le plastique mais laissez le pain dans son emballage d'aluminium, mettez-le au four, thermostat 7 (230°), pendant 15 à 20 mn. Servez tiède.

★

Pain au fromage et aux dattes

Pour 1 pain de 600 g. Préparation : 20 mn. Cuisson : 1 h. Stockage à −18° : 6 semaines

- 200 g de farine de blé complet
- 200 g de farine de seigle complet
- 1 cuil. à café de sel
- 2 cuil. à café de moutarde
- 1 sachet de levure
- 85 g de beurre ramolli
- 200 g de gruyère râpé
- 150 g de dattes
- 2 œufs
- 2,5 dl de lait homogénéisé tiède

1. Allumez le four, thermostat 5 1/2 (180°). Dénoyautez les dattes, coupez-les en petits morceaux. Tamisez la farine de seigle dans un saladier. Ajoutez la farine de blé, la levure, 75 g de beurre divisé en petites parcelles, le fromage râpé, les dattes, le sel et la moutarde. Travaillez du bout des doigts jusqu'à ce que le mélange ait la consistance d'une semoule. Battez légèrement les œufs en omelette, ajoutez-les à la pâte, ainsi que le lait. Travaillez la pâte jusqu'à ce qu'elle soit lisse.

2. Beurrez un moule à cake, versez-y la pâte. Mettez au four pendant environ 1 h, jusqu'à ce que le pain ait bien levé et ait pris une belle couleur dorée.

3. Laissez le pain dans son moule pendant 5 à 10 mn, puis démoulez-le et emballez-le immédiatement dans du papier d'aluminium. Laissez refroidir, glissez dans un sac en plastique, scellez, étiquetez et congelez.

Pour servir : ôtez le sac en plastique, mettez le pain encore emballé dans le papier d'aluminium au four, thermostat 7 (230°), pendant 10 à 15 mn.

★

Miche campagnarde au fromage et au céleri

Pour 1 miche de 400 g. Préparation : 15 mn. Cuisson : 1 h. Stockage à −18° : 3 semaines

- 250 g de farine à levure incorporée
- 100 g de cantal râpé
- 2 branches de céleri
- 1 petite gousse d'ail
- 1 œuf
- 50 g de beurre ramolli
- 1 dl de lait homogénéisé
- 1 cuil. à café de sel

1. Allumez le four, thermostat 6 (200°). Pelez l'ail, lavez le céleri, épongez-le. Hachez menu ail et céleri. Battez l'œuf en omelette. Tamisez la farine dans un saladier. Ajoutez le sel et le beurre divisé en petites parcelles. Travaillez du bout des doigts pour bien mélanger, ajoutez le fromage râpé, le céleri et l'ail hachés, l'œuf battu. Mélangez bien.

2. Poudrez légèrement la pâte de farine, façonnez-la en une miche oblongue, placez-la directement sur une tôle beurrée ou dans un moule à cake beurré. Mettez au four pendant 1 h environ, jusqu'à ce que le pain soit doré et bien levé. Laissez dans le moule pendant 5 mn, puis démoulez le pain sur une grille et laissez tiédir.

3. Emballez la miche encore tiède dans du papier d'aluminium, glissez-la dans un sac en plastique, scellez, étiquetez, congelez.

Pour servir : sortez la miche du plastique et mettez-la au four, thermostat 7 (230°), encore emballée dans le papier d'aluminium, pendant 10 à 15 mn.

Table des recettes

Les recettes présentées dans cet ouvrage sont d'une réalisation facile. Un symbole indique pour chacune d'elles son degré de facilité :
★ *très facile* - ★★ *facile* - ★★★ *difficile*
Dans la table des recettes, les temps de préparation et de cuisson sont additionnés afin de vous donner une idée du temps nécessaire *à la confection de chaque recette. Ce temps est donné à l'exclusion des temps de marinade, de réfrigération, de trempage. Les indications de thermostat sont données sur la base d'une graduation de 1 à 10.*

Edition française réalisée sous la direction de Monique Gélard, assistée de S. Soldevila et E. Scotto pour les recettes et la rédaction. Traduction : M. Pitoëff. Secrétariat d'édition : E. Haniotis. Photos : J. Lee et P. Kemp ; photo de couverture : P. Kemp. Maquette et couverture de l'édition française : S. Kleinberg. 1re édition, dépôt légal : mars 1980. Edition 1985, dépôt légal : février 1985. N° d'éditeur : 240. ISBN : 2-7318-0013-5. Photocomposition : S.C.P., Bordeaux. Imprimé par Mandarin Publishers Ltd, Hong-Kong.